讀史料成敗

교양인을 위한 역사학 교실

윤진석 지음

교양인을 위한 역사학 교실

이른비

'역사학의 이론과 역사'를 주제로 한 책을 내리라고는 꿈에도 생각
지 못했다. 발단은 2년 전 박성현 선생님^{현 서울대학교 국사학과 교수}을 비
롯한 학과 교수님들이 필자에게 '역사학 입문'과 '한국의 역사가와
역사서' 수업을 맡긴 데서 비롯되었다. 그동안 '역사학 입문' 강의를
해 오던 김건우 선생님이 경북대학교 사학과 BK연구교수로 부임했
기 때문이었다. 돌이켜 생각해 보니 무얼 믿고 중요한 수업을 필자
에게 덜컥 맡겼는지 의아할 뿐이지만, 그때는 눈앞에 맡겨진 책임
을 지는 게 급했다.

  '역사학 입문'과 '한국의 역사가와 역사서'는 사학과 신입생을
대상으로 한 전공기초 과목이지만, 필수로 다루어야 할 주제들의
난이도가 만만찮은 무척 어려운 수업이다. 어떻게 진행할지 갈피를

잡지 못해 김건우 선생님께 도움을 청했다. 학회에서 한두 번 인사만 나눴을 뿐인데, 공력을 들여 만든 강의자료를 기꺼이 내어 주시고 읽어야 하는 책 목록도 알려주었다. 덕분에 강의계획의 전체 틀을 잡을 수 있었다. 하지만 실제 강의를 어떻게 진행해야 하는지는 다른 문제였다. 어려운 주제들을 학생들이 이해할 수 있도록 설명해야 하기 때문이다. 학생들에게 친숙한 우리나라 역사와 실생활에서의 사례를 들면 좀 쉽게 이해하지 않을까 싶어, 생각나는 대로 에피소드를 페이스북에 메모하듯 끼적였다. 물론 거기에는 인문학 전공자들이 대다수인 '페친'들의 의견을 구하려는 목적도 있었다.

그런데 뜻하지 않게 한국출판문화산업진흥원에서 운영하는 '인문360' 웹진에서 연락이 왔다. 역사 이야기를 연재해 달라는 것이었다. 나중에 알고 보니 필자의 페북 글을 보고 이문영 작가님이 추천했다고 한다. 이문영 작가는 『유사역사학 비판』^{역사비평사, 2018}의 저자로, 그간 학계가 소홀히 대처했던 유사역사^{사이비역사}의 심각성을 일찍이 깨닫고 홀로 싸워 온 분이다. 필자는 딱 한 번 만난 인연밖에 없지만 페북으로 관계를 이어오고 있는 인생의 선배이자 공부 동료다.

'인문360' 쪽에서 제안한 것은 '역사를 위한 농담' 정도의 주제로 원고지 15매 분량에 10회 연재였다. 하지만 필자의 욕심으로 '교양인을 위한 역사학 교실'로 정하고, 분량도 5회 이후로는 매번 30매를 넘겼으며, 과분하게도 독자들의 관심이 조금 있어서 16회까지 이어졌다. 그리고 그 독자 가운데 하나였던 박희진 대표가 출판을 제안해주었다.

　이처럼 이 책은 대학 강의와 일반 독자들을 염두에 둔 웹진 기고가 바탕이 되었다. 출판을 계획하며 글을 다듬고 10여 편의 글을 새로 써 보탰다. 역사 전공 대학 신입생을 주요 독자로 썼지만, 역사를 사랑하는 교양인도 읽어주었으면 하는 바람이 크다. 필자가 생각하는 '교양인'은 막연한 '일반 대중'을 가리키는 것이 아니라 '건전한 정신의 소유자'를 말한다. 선조들의 어법을 빌리자면 '군자'쯤 되는 표현이다. 간혹 '군자'가 전근대 신분사회의 특권층을 가리키는 말이라 여겨 거부감을 가지는 분들이 있는데, 현대는 평등사회이므로 누구나 군자가 될 자격이 있다. 문제는 유사역사의 터무니없는 망상에 사로잡혀 스스로 군자가 될 수 있는 길을 포기한 데서 발생한다. 책을 내는 저자 다수는 모든 사람이 자신의 책을 읽어주길 소망하지만, 필자는 그런 꿈이 없다. 건전한 정신의 소유자인 교양인, 즉 군자들이 읽어주시면 족하다.

2022년 8월
윤진석

차 례

재미있는 역사 이야기, 난해한 역사학 공부

필자처럼 역사학을 공부하고 가르치는 이들은 '부럽다'는 소리를 종종 듣는다. 역사공부가 재미있어 보인다는 이유다. 특히 힘든 노동이나 위험한 실험실습이 필요한 분야 전공자들은 다시 태어나면 역사를 전공하고 싶다고도 한다. 마치 체중감량과 부상을 일상으로 겪는 투기종목 선수가 골프 같은 종목 선수를 부러워하는 것 같다. 그러나 정도의 차이일 뿐 무엇이든 전공으로 하는 것은 고통이 따르지 않는 것이 없다. 동호인은 "평생 골프만 치면서 살고 싶다"고 소망하지만, 프로선수는 골프채 보기가 지긋지긋하거나 두려울 때가 많다고 한다.

그런데 역사를 전공으로 선택한 이들은 다른 분야 전공자가 공부가 심화될수록 힘들고 어려워하는 것과 달리 입문과정에서부터 당혹감을 느낀다. 사학과에 입학한 학생들은 대개 첫 전공과목으로 '역사학 입문' 또는 '사학개론'을 수강하는데, 첫 시간부터 자신이 알던 역사공부와는 달라 당혹스러워한다. 이 과목의 강의평가에는 "중고등학교 시절 역사수업이 항상 재미있었고 성적도 좋아서 사학과에 들어왔는데 예상과 너무 달랐다"는 성토가 어김없이 있고, "전공을 변경해야 할지 고민된다"는 고백도 종종 나온다.

왜 이런 괴리감이 발생하는 것일까? 이는 **역사서술의 선택적 성격과 역사해석의 다양성** 때문이다. '역사'라는 말의 사전적 정의定義는 "과거의 사실 또는 그 기록"이다. 혼동의 원인은 '과거의 사실'이라는 말의 모호함에 있다. 역사의 정의에서 말하는 '과거의 사실'은 개별 사실이나 선택적 사실이 아니라 지나간 사건 전부를 의미한다. 문제는 '그 기록'이 '과거의 사실'의 극히 일부로서 '과거의 사실'에 종속되어 있는데, 양자를 구분하지 못하는 경우가 많다는 것이다. 바로 이러한 '과거의 사실'의 광대함에서 역사서술의 선택적 성격과 역사해석의 다양성이 생겨난다.

이 책의 독자에게 지금 즉시 오늘 하루 자신이 한 일과 생각한 바를 일기장에 담아야 하는 의무가 주어졌다고 가정해보자. 잠자리에 들기 전 이 글을 읽은 독자는 쓸 이야기가 매우 많을 것이고, 방금 잠에서 깨어난 독자는 쓸 내용이 하나도 없다고 할 수도 있다. 그런데 실제로는 그렇게 도식적으로 나뉘지도 않는다. 각자의 세심함 정도와 기억력에 차이가 있기 때문이다. 어떤 이는 잠자리에 들기 전에 쓰면서도 아무 일도 없었다고 할 수도 있고, 어떤 이는 막 잠에서 깨어났으면서도 기침을 몇 번 했고 1분에 호흡을 몇 번 했는지까지 빠짐없이 꼽기도 할 것이다. 기침과 호흡은 너무 지엽적인 것이 아니냐고 반문할 수도 있겠지만, 호흡기 환자에게는 매우 중요한 사안이다. 하지만 모든 사람이 그처럼 모든 행동과 생각을 세세하게 적을 수는 없다. 쓰는 동안 또 생각하므로 쓰는 것이 써야 할 바를 따라잡지 못한다. 따라서 역사기록은 어쩔 수 없이 과거의 사실 가운데 일부를 선택할 수밖에 없는 것이다. 역사를 전공으로 선택한 학생들이 입학 직후부터 느끼게 되는 당혹스러움은 이런 점에서 비롯된다. 중고등학교까지는 선택된 기록과 해석을 이해하고 암기하는 공부를 하는 반면, 대학에서는 그렇게 선택된 기록과 해석의 타당성을 검토하는 방법을 배우기 때문이다. 여타 학과의 신입생들이 중고등학교 때 쌓은 기초를 복습하고 심화하는 방식으로 공부를 시작하는 데 반해, 역사 전공 학생들은 쌓았던 기초를 의심하고 해체하는 것으로 공부를 시작한다.

이렇게 이야기를 꺼내놓으면, 난해한 역사학 공부는 전공 학생들이 수강하는 강의에서만 다루고, 이처럼 교양인을 독자로 하는 책에는 재미있는 역사지식이나 역사이야기를 다루는 것이 적합하다고 여길 사람도 있을 것이다. 그러나 실상 역사지식은 이미 역사 전공자의 전유물이 아니다. 인터넷이 없던 시절에는 역사 속 인물과 사건을 줄줄이 꿰고 있는 것이 지식인 여부를 판단하는 기준이 되기도 했고, 그 자격을 속성으로 갖추기 위해 인명사전이나 역대 왕의 이름과 재위기간 등이 기록된 역대연표歷代年表를 하나씩 구비해 놓기도 했다. 예전에는 지금처럼 오락거리가 많지 않아 온 가족이 텔레비전 앞에 앉아 역사기록에 충실한 사극 드라마를 시청하던 일이 많았는데, 그럴 때 인명사전과 역대연표가 빛을 발했다. 예나 지금이나 그런 형식의 드라마는 주요 인물의 생사를 다루는 장면에서 '다음 회에 계속'이라는 자막으로 시청자들의 애를 태우는데, 과거에는 역사사실을 꿰고 있거나 인명사전을 훔쳐 본 이가 척척박사나 선지자의 대접을 받았다. 하지만 지금은 누구나 인터넷 검색만으로 사건의 전말을 쉽게 알 수 있어 그런 지식이 별로 대접받지 못한다. 오히려 스포일러 공개자로 비난받는다.

21세기의 역사공부는 전공자와 교양인이 공부 방법을 달리해야 할 이유가 없다. 정보가 공유되는 현대사회에서는 비전공자인 교양인도 역사지식을 단순히 암기하는 것을 넘어 공유한 정보를 바탕으로 스스로 합리적으로 해석하고 판단하는 능력을 기르는 공부가 필요하다. 특히 '재야 사학자'라는 말이 존재하는 우리나라의 현실에서는 더욱 그러하다. '재야'라는 말은 전문가 또는 전공자가 제도권에 속하지 않고 초야에 머무르고 있다는 뜻인데, '재야사학자'라는 말은 특이하게 비전공자로서 역사를 연구하거나 저술하는 사람을 일컫는 말로 사용된다. 비전공자가 연구까지 할 정도로 애정을 쏟는다는 것은 전공자 입장에서는 한편으론 고마운 일일 수도 있으나, 문제는 그 과정에서 역사를 왜곡하고 대중에게 잘못된 역사관을 심어주는 폐해가 발생한다는 점이다.

따라서 이 책에서는 역사기록의 구성과정과 해석방식 등 역사학의 기초를 독자들에게 소개하여 역사를 합리적으로 해석하고 판단하는 능력을 함양하는 데 일조하고자 한다. 앞서 언급했듯이 역사학 공부는 기초부터 난해하여 쉽게 공부하기 어렵다. 그렇지만 우리가 잘 아는 역사적 사례와 우리 일상에서 일어나는 일을 곁들여 설명하면 어려움을 조금 덜 수 있으리라 믿는다.

이 책은 필자가 강의하는 사학과 1학년 전공기초 과목인 '역사학 입문'과 '한국의 역사가와 역사서'의 수업내용을 바탕으로 쓴 것으로, 그에 따라 2부로 구성했다. 제1부에서는 역사의 정의와 역사의 효용성, 역사학 방법론으로서의 사료와 사료비판, 역사에서의 객관성과 주관성, "역사는 승자의 기록"이라는 말의 명암, 역사의 과학성 논쟁, 역사 인과론, 역사의 법칙성과 우연성, 역사의 보편성과 특수성 등을 비롯한 서양 근대역사학의 기초이론들과 주요 논쟁들을 다루었다. 역사학의 태동과정에는 동서양의 우열이 없었고 어떤 면에서는 동양의 역사학이 서양의 역사학에 비해 앞서나간 점도 있었다. 하지만 서양 근대역사학이 엄격한 사료비판 방식을 비롯한 역사학 방법의 토대를 세웠고 동양에서도 이를 도입했으므로 역사학을 전공하는 학생이나 역사에 관심이 많은 교양인들은 이 문제들을 먼저 공부할 필요가 있다.

한편 20세기 전반 두 차례의 세계대전을 치르면서 근대역사학에서 주장한 가치들, 이를테면 역사적 사실의 실체를 규명할 수 있다거나, 역사가 진보한다거나 하는 생각들이 허상이라는 지적이 많이 나왔다. 이를 바탕으로 오늘날에는 근대역사학이 이제 수명을 다하고 종말을 고했다고 주장하는 새로운 역사학의 흐름이 주류가 되었다. 필자 역시 이런 주장들에 크게 반대하지는 않지만, 이런 주장들로 인해 근대역사학의 기초를 섭렵하지 못하고 비판만 숙지하는 공부가 되는 게 아닐까 싶다. 따라서 이 책에서는 역사학의 기초적인 논제들을 중심으로 다뤘다.

제2부에서는 전근대 중국과 우리나라 역사학의 특징과 서술원칙을 정리하고, 이어서 일제 식민사학과 사회진화론 등 우리나라 근대역사학의 태동과정에서 전개된 이론과 그에 대한 논쟁들을 살펴보고, 나아가 오늘날 대중들이 오해하고 있는 문제 등을 다루었다. 근대역사학의 연구방법이 도입된 이후 오늘날까지의 한국사 연구는 일제 식민사학의 역사왜곡과 우리 연구자들이 그것을 극복하는 과정이었다. 근대역사학의 방법에 의한 한국사 연구가 일본인들에 의해 먼저 시작되었고, 그 과정에서 정치적 의도로 '타율성론', '일선동조론', '한국사 정체성론'을 근간으로 하는 한국사 왜곡이 자행되었기 때문이었다. 오늘날에는 대다수가 극복되었으나 '한국사 정체성론' 등 일부 문제들은 여전히 논박되고 있으므로 주요 논점들을 정리했다. 또한 일제강점기라는 특수상황에서 민족주의 역사가들이 민중의 애국심을 고취할 목적으로 낸 주장과 역사를 사랑하기보다는 장삿속 채우는 것이 먼저인 유사역사가사이비역사가들의 선동에 경도되어 역사사실을 오해하거나 잘못된 역사관을 갖고 있는 대중들이 적지 않다. 따라서 이를 바로잡는 데도 적지 않게 할애했다.

제1부

—

역사학의
이론과 논쟁

흔히 역사학을 비실용적 학문으로 오해하기도 하지
만, 역사학은 태동부터 오늘날에 이르기까지 실용적
학문이다. '실용'이라는 말이 인간의 '욕망'과 관련 있
다고 보고 이를 탐탁지 않게 여기는 이들은 이 말 대
신 '자기성찰'이라든가 '미래를 여는 거울'이라는 식
으로 표현하지만, 따지고 보면 이 말들도 '실용'에서
크게 벗어나지 않는다. 사실 엄밀히 말해 역사공부가
실제로 성찰과 미래예측에 도움이 되었는가 하는 점
에 대해서는 논란이 있을 수 있다. 그러나 역사가 있
은 이래 역사를 공부하는 사람 대다수는 역사공부가
삶에 효용이 있다고 생각했다.

1 / 역사란 무엇인가

역사의 정의와 역사의 효용성

우리나라 교양인 대다수는 **"역사란 무엇인가"** 하는 질문을 들으면 영국의 외교관이자 유명한 역사학자 E. H. 카Edward Hallet Ted Carr, 1892~1982가 쓴 책을 떠올릴 것이다. 그런데 서점이나 도서관의 도서 목록을 살펴보면 다른 저자가 쓴 똑같은 제목의 책이 몇 권 있고, 유사하거나 패러디한 제목의 책도 숱한 것을 확인할 수 있다. 이는 "역사란 무엇인가?" 하는 논제가 카의 독창적 물음이 아니라 역사학의 가장 기초적이며 궁극적인 검토 대상이기 때문이다. **이 말은 역사 또는 역사학의 정의定義를 묻는 것이다.** 이에 대해 흔히 "과거와 현재의 끊임없는 대화"라는 말을 떠올리지만, 카가 자신의 역사철학을 추상화한 말일 뿐 '역사'의 본래 정의는 아니다.

앞서 언급했듯이 사전에서는 '역사'를 '과거의 사실 또는 그 기록'으로 풀이하는데, 이 정의는 독일의 철학자 헤겔Georg Wilhelm Frie-drich Hegel, 1770~1831이 『역사철학 강의』에서 역사를 '객관적인 역사'와 '주관적인 역사'로 구분한 것과 관련이 있다. 헤겔이 말한 '객관적인 역사'와 '주관적인 역사'의 의미는 구체적으로는 매우 난해한데, 일단 **전자**객관적인 역사**는 과거의 사실 그 자체이며, 후자**주관적인 역사**는 그 가운데 선택된 기록을 지칭**했다는 정도로라도 알아둘 필요가 있다.

'역사'라는 단어의 서양말인 히스토리history 또는 히스토리아 historia의 어원은 '탐구' 또는 '구명究明'이다. '히스토리아'는 서양 역사학의 아버지로 불리는 헤로도토스Herodotos, 기원전 484?~기원전 425?가 쓴 책의 제목이기도 한데, 그는 이를 '진실을 찾아내는 일'이라는 의미로 사용했다. 헤겔의 분류와 '히스토리'의 어원, 헤로도토스가 책 제목을 '히스토리아'라고 붙인 이유 등을 종합하면, '역사'는 '사실'과 '기록'으로 분류할 수 있으며, 역사서술과 역사학은 기록이 사실에 부합하는가를 탐구하고 구명하는 데서 비롯된 것임을 미루어 짐작할 수 있다.

"역사란 무엇인가?" 하는 물음은 "역사를 왜 배우는가?"라는 의미로도 사용된다. 역사의 효용성 및 역사교육의 목적을 묻는 것이다. 역사를 공부하는 이에게 이 질문을 하면 대개 답변을 머뭇거린다. 실제로는 **단순한 지적 호기심, 즉 박물학적 취미**에서 비롯된 경우가 많을 텐데, 그렇게 솔직하게 답변하면 속된 말로 '싼티'나 보일 것 같아서다. 때문에 대개는 **삶에 필요한 교훈을 얻기 위해서**라든가, **과거**

사실을 통해 현재사실의 기원을 알기 위해서라고 답한다. 이런 답은 스스로 터득한 것이 아니라 역사학 관련 도서에 나오는 설명을 따라 한 것이다. '교훈을 얻기 위해서'라는 답은 역사 속 사실과 비슷한 일이 우리에게도 일어났거나 일어날 수 있다는 생각, 즉 인간의 삶이 보편적이라는 시각에 바탕하고 있고, '기원을 알기 위해서'라는 답은 과거역사가 현재와 미래와 연관되어 있다는 시각에 바탕하고 있다.

고대 그리스의 역사가 헤로도토스(대리석상, 2세기)
로마의 웅변가 키케로는 헤로도토스를 '역사학의 아버지'라 불렀다.

"역사란 무엇인가?" 즉 역사의 정의와 효용성에 대한 물음은 교양인뿐 아니라 전공 연구자도 선뜻 답하기 어려운 질문이다. 역사연구자는 자신의 연구결과에 대해 '소설'이라 평가받는 것을 가장 큰 수치로 여긴다. 역사학에서는 재미보다는 '팩트fact'를 중시하기 때문이다. 또한 역사연구자는 "이것이 무슨 의미가 있는가?" 하는 질문을 받았을 때도 수치심을 느끼기도 한다. 연구자 가운데 '소설' 소리를 들은 이는 그리 많지 않지만, '의미' 타령은 석사·박사 논문 심사 때 대다수가 겪어본 일이다. 지도교수와 심사위원들이 빠짐없이 하는 말인데, 연구의 필요성을 묻는 것이다. 문제의식이 명확하지 않은 상태에서 논문을 썼거나 지도·심사과정에서 첨삭을 당해 연구자가 처음에 가졌던 문제의식이 어디론가 숨

중국 전한 시대의 역사가 사마천
궁형이라는 수치와 고통을 감내하며 불후의 고전『사기』를 완성했다.

어버린 것을 지적하고 스스로 찾도록 깨우쳐 주는 것이다. 이런 '의미' 지적은 사실 그리 수치스러운 것이 아니다.

진정으로 수치스러운 순간은 역사를 그다지 탐탁지 않게 여기는 이가 역사공부를 신선놀음 취급하며 "그것이 인간의 삶에 무슨 도움이 되는가?" 하고 타박할 때다. 전문 연구자라고 별 뾰족한 수가 있는 것도 아니라서 역시 '과거와 현재의 대화'라든가 '역사는 미래의 거울'이라는 식으로 항변할 수밖에 없다. 하지만 "역시 신선놀음답게 뜬구름 잡는 소리를 한다"는 비아냥거림을 들을 뿐 문제를 제기한 사람을 납득시키는 경우는 거의 없다.

사실 틀린 말도 아니다. 역사의 태동 이후부터 오늘날에 이르기까지 과거의 역사만 열심히 연구한 책상물림이 정치·사회·경제·외교 등의 분야에 큰 족적을 드러내거나 탁월한 판단을 한 경우는 거의 없었다. 또한 동서양을 막론하고 대다수 역사서는 정의로운 삶과 도덕적인 삶을 칭찬하고 그렇지 못한 삶을 꾸짖었지만(동양의 유교사관에서 말하는 포폄(褒貶)이 바로 이런 것을 가리킨다), 실상 따져보면 정의로운 이와 도덕군자의 삶은 불행하고 그렇지 못한 이는 죽을 때까지 부귀영화를 누린 예가 더 많았다. 신앙이 확고하여 내세의 삶을 믿는 이에게는 이승의 불행과 부귀영화가 별것 아니겠지만, 개똥밭에 굴러도 이승이 저승보다 낫다고 생각하는 이에게는 역사가의 평가가 별 소용이 없다.

과거의 역사가들도 이런 부조리를 가볍게 여기지는 않았다. 『사기』를 지은 중국 역사학의 아버지 사마천司馬遷, 기원전 145?~기원전 86? 은 열전 첫머리인 「백이열전」에서, "하늘의 도道는 사사로움이 없고 항상 선한 사람 편을 든다"고 들었는데 백이·숙제와 안회는 불행한 삶을 살다 일찍 죽었으니, "하늘이 선인에게 보답함이 어찌 이와 같은가?" 하고 묻고, 나아가 "도척이라는 악인은 사람의 고기를 날로 먹으며 천수를 누리다 죽었으니, 이 사람은 무슨

공자의 제자 안회
사마천은 안회의 불우한 삶을 들어 자신의 억울함을 역사에 토로했다.

덕이 있어 이런 복을 누렸는가?" 하고 물었다. 한漢나라 무제武帝, 재위: 기원전 141~기원전 87 황제에게 직언直言하다가 궁형宮刑, 사람의 생식기능을 훼손시키는 형벌을 받은 자신의 억울함을 백이·숙제와 안회의 불우한 삶에 빗대어 항변한 것이다. 착한 일을 하면 사탕을 줘야지 매를 준다면 무엇을 배우겠는가 하는 물음이다. 그렇지만 사마천은 항변으로 그쳤을 뿐 하늘의 도에 도전하지는 않았다. 하늘이 자신에게 역사서술의 사명을 주었다고 여기고 수치와 고통을 감내하며 불후의 명작인 『사기』를 완성했다. "군자는 세상을 떠나서는 이름이 일컬어지지 않는 것을 싫어한다"면서 백이·숙제의 이름을 드러낸 공자孔子

의 업적을 기리며 자신이 그 과업을 이었다고 천명했다.

  하지만 모든 이가 사마천 같지는 않다. 자고로 군자는 소수요, 다수는 속인이라, 필자 같은 속인은 억울한 매를 감내할 용기가 없고, 사탕의 달콤함에 끌린다. 그렇다면 과연 역사는 인간의 삶에서 무슨 소용이 있을까? 서울대학교 국사학과 권오영 교수는『삼국시대, 진실과 반전의 역사』21세기북스, 2020를 출간하면서 가진 저자 인터뷰에서 흥미로운 답을 내놓았다. "이상한 짓을 하지 않기 위해 역사를 공부하는 것"이라고 했다. 권오영 교수가 말하는 '이상한 짓'이란 과도한 국수주의나 터무니없는 상상에 사로잡혀 역사상을 어지럽히거나 그에 현혹되는 것을 이르는데, 따라서 역사공부가 이상한 짓을 하지 않도록 막아주는 예방주사의 효험이 있다는 것이다(권오영 교수의 출간 인터뷰는 유튜브 채널 '서가명강'에서 확인할 수 있다). 그러면 이미 감염된 사람은 어떻게 해야 할까? 걱정할 필요는 없다. 역사공부는 치료의 효험도 있다. 권오영 교수는 책의 '나가는 글'에서 학부 시절『환단고기』와 비슷한 내용의 사이비역사가 서술된 글을 읽고 고무되어 전공수업 과제에 깊이 반영했던 것을 고백했다. 이후 문헌자료와 고고자료를 공부하며 그것이 이상한 짓임을 깨달았고 나아가 전문 연구자가 되었으니 감염된 사람이 완치된 사례로 들 수 있겠다.

2 / 범죄수사·사법절차와 역사학의 닮은 점

사료와 사료비판

2002년 개봉한 영화「공공의 적」1편에서 주인공 강철중설경구 분 형사는 반장강신일 분에게 실적이 부진하다는 잔소리를 듣고 폭력과 금품 갈취를 일삼던 안수이문식 분를 잡아온다. 조서 작성 중에 강철중은 동료 형사에게 빈집털이범 사건으로 반장이 골치 아파한다는 이야기를 듣고, 안수에게 "폭력 및 상습적인 금품갈취, 공무집행방해로 2년 썩을래? 아니면 절도로 6개월 썩을래?" 하면서 회유한다. 안수가 어쩔 수 없이 동의하여 십자드라이버를 손에 들고 피의자 사진을 찍던 중 반장이 들어와 그 광경을 보고 "십자드라이버로 어떻게 집을 터냐?"고 한다.

강철중은 들켰다는 표정을 짓고, 안수는 반장이 강철중의 겁박성 회유가 있었던 것을 밝혀주지 않을까 하고 기대한다. 하지만 반장은 안수의 기대와 달리 캐비닛에서 일자드라이버를 꺼내 쥐어주며 "이걸로 해" 한다. 대다수 관객이 폭소를 터뜨렸던 장면인데, 그 밑바탕에는 범죄수사와 사법절차에서 증거의 중요성 및 신빙성 문제가 깔려 있다. 영화에서는 재미를 위해 짓궂게 묘사했고 관객들도 웃어넘겼지만, 현실에서 벌어진 일이라면 만인의 공분을 살 만한 사안이다.

역사학 및 역사서술도 증거가 있어야 하고, 그것이 조작되거나 작위적으로 해석된 게 아닌지 면밀히 검토한다는 점에서 범죄수사 및 사법절차와 닮은 점이 많다. 수사담당자와 사법담당자가 증거를 보전하고 그 진위여부를 구명하는 데 심혈을 기울이듯이 역사가도 증거를 찾고 다루는 것에 심혈을 기울인다. 강철중 형사의 사건조작과 형사반장의 증거 바꿔치기처럼 서양 중세에는 정치적·종교적 목적으로 '콘스탄티누스 기진장寄進狀'[1]을 비롯한 수많은 문서 위조가 행해졌는데, 역사학적 검토, 즉 이 장에서 살펴볼 '사료비판'으로 위조임을 밝혀냈다.

'사료史料'는 역사가가 역사서술을 할 때 증거로 삼는 것을 말하는데, 범죄수사에서 증거가 없으면 기소가 불가능하듯이 역사학에서

---

1 _____ 콘스탄티누스 기진장: 로마의 콘스탄티누스 황제가 자신의 나병을 치료해준 교황에게 감사의 표시로 로마 서부에 대한 통치권을 교황에게 양도했다는 문서로, 르네상스 시대에 이르러 후대에 만든 가짜 문서임이 밝혀졌다.

도 "사료가 없으면 역사도 없다No document, No history"는 말을 불문율로 삼고 있다. 국어사전에서는 '사료'를 "역사를 연구하거나 편찬하는 데 재료가 되는 문헌이나 유물"로 설명한다. 단순하게 '역사재료'로 풀이한 셈인데, '료料'에는 '재료'뿐 아니라 '헤아리다'는 뜻도 있다. 사실 이 말은 서양 근대역사학을 동양에 도입하면서 **샘물이나 강의 기원이라는 어원을 가진 독일어 '크벨레Die Quelle'와 영어 '소스source'를 한자로 바꾼 번안어飜案語**다. 어원상으로는 '원천源泉'이라는 단어가 적합한데도 '재료'와 '헤아리다'는 뜻을 함께 가진 '료'를 써서 '사료'로

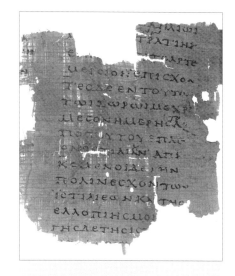

헤로도토스의 『역사』 파피루스 조각 (2세기)
역사학에서는 "사료가 없으면 역사도 없다"는 말을 불문율로 삼는다.

번안한 것이 흥미롭다. '역사히스토리'의 어원이 '탐구' 또는 '구명'이라는 점을 상기하면 절묘한 선택이 아닐까 싶다. 한편, '도큐먼트document'도 '사료'로 번역하는데, 이는 '문자사료'라는 의미가 강하다.

역사학에서 **'사료'는 문자사료와 비非문자사료로 분류하기도 하고, 1차사료와 2차사료로 분류하기도 한다.** 문자사료는 역사서, 연보, 연대기, 회고록, 전기, 일기, 편지, 특허장, 조약문, 임명장, 판결문, 계약서 같은 것이고, 비문자사료는 유물·유적, 회화, 조각, 공예품, 화폐, 지도 같은 것이다. 이 가운데 역사서 등은 자체로 완성된 역사서술의 결과이지만, 후대 역사가들에게는 사료가 된다. 1차사료는 당대에 제작된 저작물이나 유물 등이고, 2차사료는 후대

에 만들어진 것인데, 양면성을 지닌 경우도 있다. 가령 **후대 역사서는 2차사료이지만 인용된 당시의 외교문서 같은 것은 1차사료로서의 가치가 있다.** 또 하나 유의할 것은 **1차사료가 2차사료보다 반드시 역사적 진실에 부합하는 것은 아니라는 점**이다. 특히 작성자가 해당 사건의 이해당사자인 경우에는 작성자의 입장이 짙게 반영되어 진실과 멀어지기도 한다.

따라서 역사학에서는 **사료의 진실성에 대한 검증작업**을 범죄수사와 사법절차에서 증거의 신빙성 여부를 검증하는 것만큼 중시하는데, **이를 '사료비판'이라고 한다.** 사료비판은 서양에서 종교의 세속지배를 탈피하고자 하는 근대정신이 태동하던 시기에 시작되었다. 이전의 역사서술에서도 초보적인 사료비판이 없지는 않았지만 중세까지는 역사학이 '신학의 시녀' 처지라 본격적인 사료비판은 15세기 르네상스시대까지 기다려야 했다. 본격적인 사료비판의 선구자로 꼽는 이는 이탈리아 출신의 로렌초 발라Lorenzo Valla, 1407~1457인데, 앞서 소개한 '콘스탄티누스 기진장'이 위조되었다는 것을 밝혀냈다. 이후 17세기 과학혁명과 19세기 언어학의 발전으로 사료비판 방법이 크게 발전했고, 이를 바탕으로 근대역사학이 성립할 수 있었다. 동양에서는 서양보다 더 일찍 역사서술이 시작되었지만, 과학혁명의 부재 등으로 근대적 사료비판이 자생하기 어려웠던 면이 있다.

사료비판은 방식 면에서는 사료의 보존상태, 저자·작자의 실

로렌초 발라의 초상과 그가 라틴어로 번역한 헤로도토스의 『역사』(베네치아, 1494)
발라는 15세기 이탈리아의 인문주의자이며 사료비판의 선구자로 꼽힌다.

존여부나 대필여부를 검토하여 사료의 진위를 밝히는 **외적 비판**과
외적 비판을 거친 사료를 가지고 다시 사료에 담긴 내용의 진실여부
나 신뢰성을 밝히는 **내적 비판**으로 나뉜다. 쉽게 설명하면, 외적 비
판은 사료의 위작여부와 전승과정에서의 변개유무 등을 밝히는 것
이고, 내적 비판은 사료로서의 가치를 어느 정도 인정받은 것의 내
용이 역사적 사실과 부합하는가를 밝히는 작업이다. 따라서 대개의
경우 내적 비판은 외적 비판의 심사를 무사히 통과한 이후에 이루어
지지만, 어떤 경우에는 외적 비판으로 가부를 결정짓지 못하여 내
적 비판을 통해 다시 사료의 진위를 논박하기도 한다. 그러한 예로
『환단고기』 진위논쟁을 들 수 있는데, 학계에서는 외적·내적 비판

콘스탄티누스 황제의 기증을 묘사한 13세기 로마의 프레스코화

기진장(寄進狀)은 313년 기독교를 공인한 콘스탄티누스 황제가 로마제국의 서쪽 반을 실베스테르 1세 교황에게 양도한다고 기록한 문서를 말한다. 로렌초 발라는 1440년 이 문서가 위조되었음을 밝혔다.

을 통해 위서僞書임이 증명되었다고 주장하는 반면, 유사역사가들은 사료비판 결과에 동의하지 않고 진서眞書로 여겨 논란이 끝나지 않고 있다.

이처럼 사료비판은 언뜻 보면 쉬워 보이지만, 범죄수사와 사법절차처럼 미궁에 빠지기도 한다. 범죄자가 자신의 혐의를 벗어나기 위해 다양한 수단을 동원하듯이 욕망에 사로잡혀 사료를 조작하는 이의 수법 또한 녹록지 않기 때문이다. 따라서 역사서술에 임하는 역사가는 범죄자와 한판 승부에 임하는 수사담당자나 사법담당자의 심정이 되기도 한다. 또한 앞서 소개했듯이 증거가 없으면 기소가 불가능하고, "사료가 없으면 역사도 없다"고 말하지만, 실제로는 증거와 사료가 없는 상태에서 수사와 역사연구에 착수하기 때문에 수사와 사료비판이 어려운 면도 있다. 기소장이나 역사서술의 논지를 보면 증거와 사료를 바탕으로 수사 또는 연구가 시작된 것처럼 되어 있지만, 실제과정은 역순으로 심증心證으로 시작하여 증거 또는 사료를 찾아내거나, 정황 증거를 토대로 추론하여 결론을 도출하는 방식을 취하기 때문이다.[2]

그러면 역사가가 역사의 진실을 찾기 위해 아무리 노력해도 결론지을 만한 사료를 찾을 수 없고, 논리적으로 풀어낼 정황증거도 불충분한 경우는 어떻게 해야 할까? 십자드라이버를 손에 쥔 피의자에게 일자드라이버를 바꿔 쥐게 한 「공공의 적」 형사반장처럼 해야 할까? 그래서는 안 된다는 것에 모든 독자가 동의하리라. 다만 억울한 피해자가 생기지 않도록 증거가 불충분할 때는 피의자의 이익으로 삼는 사법정신과 달리 역사학에서는 다양한 해석의 길이 열

2_____ 현대에도 개인의 잘못된 욕망으로 사료를 조작했다가 들통 난 일이 있었는데, 대표적 사례로 '후지무라 신이치(藤村新一) 사건', '귀함별황자총통(龜艦別黃字銃筒) 사건' 등을 꼽는다. 후지무라 신이치 사건은 일본의 아마추어 고고학자가 구석기 유물을 위조해 몰래 묻어놓고 발굴하는 방식으로 일본의 구석기 시작 연대를 계속 앞당겨 신의 손이라고 칭송받다가 들통 난 사건이다. 귀함별황자총통 사건은 우리나라의 해군 대령과 해군사관학교 박물관장이 공모하여 별황자총통 모조품을 바다에 빠뜨려 두었다가 발굴한 뒤 임진왜란 때 거북선에서 사용된 총통이라 주장해 국보로 제정되었다가 추후 가짜라는 것이 밝혀져 국보에서 삭제된 사건이다.

려 있다. 물론 기본적인 요건이 있다. 고의적으로 사료를 누락하거나 말살하여 자신의 견해를 확정지으려 들지 말아야 하고, 자신의 견해와 반대되는 해석에도 귀를 기울여야 한다.

역사서술은
객관적이고 공정할 수 있는가

역사의 객관성(비편향성)**과 주관성**(편향성)

앞 장에서 '범죄수사·사법절차와 역사학의 닮은 점'으로 '증거'의 중요성 문제를 다루었다. 증거가 필요한 까닭은 공정성과 객관성을 보장받기 위함이다. 그런데 완벽하게 공정하고 객관적인 증거와 판단이 과연 얼마나 있을까? 사법절차를 예로 들면, 제출된 증거에 대한 1심·2심·3심의 판단이 각각 다른 경우도 많고, 1심·2심·3심의 판단이 합치하더라도 대중이 생각하는 공정성·객관성과는 부합하지 않는 경우도 허다하다. 가령 천인공노할 흉악범에 대해 대중은 "눈에는 눈, 이에는 이"를 적용할 것을 기대하지만, 판사는 현행 법률에 따라 판결할 수밖에 없다.

역사서술의 공정성과 객관성 문제도 사법행위의 공정성·객관성 문제처럼 오랜 논란거리였고, 현재도 진행형이다. 동서양의 고대 역사가들은 자신이 공정하고 객관적이며 비편향적인 역사서를 썼노라 자부했다. 그리스 사람인 헤로도토스Herodotos가 『역사』그리스와 페르시아의 전쟁이 주제를 쓰면서 페르시아의 제도 등을 높게 평가한 것이나 아테네 사람인 투키디데스Thucydides, 기원전 465?~기원전 400?가 『펠로폰네소스 전쟁사』아테네와 스파르타의 전쟁이 주제를 쓰면서 스파르타 주도의 펠로폰네소스동맹을 아테네 주도의 델로스동맹과 동등하게 다룬 점은 그런 입장에서 나온 것이다.

그런데 이러한 객관성과 비편향성 추구는 사실상 이상에 불과했다. 헤로도토스와 투키디데스는 심정적으로는 객관을 추구했으나 개인적인 견문을 바탕으로 역사서술을 한 한계가 있었고, 그 때문에 후대의 철학자나 역사가들로부터 '이야기꾼'이나 '거짓말쟁이'라는 비난을 듣기도 했다. 그래도 이들은 순수한 편에 속했다. 중세로 접어들면서 철학과 역사학이 종교의 시녀로 전락해 이들이 추구한 진실에 대한 탐구와 구명 정신은 설 자리를 잃었고, 사료조작이 공공연하게 이뤄지기도 했다.

동양에서도 공자孔子가 술이부작述而不作, 기술(記述)할 뿐 지어내지 않는다을 역사서술의 기본자세로 삼은 뒤 근대 이전까지 동양 사학의 기본자세로 계승되었지만, 그 술이부작은 처음부터 편향된 것이었다. 공자는 요순堯舜시대부터 춘추전국시대가 도래하기 전까지를 이상적인 시대로 상상하면서 왕조교체 같은 혼란에 대해 말세마다 걸주桀紂[1] 같은 폭군이 나타났지만 탕무湯武[2]가 이를 토벌하고 천하를 안정시켰다고 해석했는데, 이후의 유학자들은 그에 따라 요와 순이

「역사」(프레더릭 딜먼, 1896)

서구 역사를 발전시킨 세 문명권의 상징적 건축물을 배경으로 펜과 책을 든 역사가가 전면에 서 있다. 그 뒤의 양쪽 서판에는 헤로도토스, 투키디데스, 기번, 랑케 등 위대한 역사가들의 이름이 보인다. 미국 의회도서관 토머스 제퍼슨 빌딩에 있는 모자이크 작품이다.

성인이고 걸과 주가 폭군이라는 데 아무런 이의를 제기하지 않았다. 전국시대戰國時代 말의 법가사상가 한비자韓非子, 기원전 280?~기원전 233가 홀로 의문을 품고 '어떤 방패라도 뚫을 수 있는 창'과 '어떤 창이라도 막아낼 수 있는 방패'를 함께 놓고 파는 장사꾼 이야기, 즉 모순矛盾 이야기를 만들어 요와 순을 함께 추앙하는 것을 비판했는데,

>**1**＿＿ 걸주(桀紂): 중국 하(夏)나라의 마지막 왕인 걸왕과 상(商)나라의 마지막 왕인 주왕을 함께 이르는 말로, 전근대 동양사회에서 포악무도한 왕의 대명사로 쓰였다.
>
>**2**＿＿ 탕무(湯武): 중국 상(商)나라의 건국자 탕왕과 주(周)나라 건국자 무왕을 함께 이르는 말.

유학이 동아시아의 정신세계를 지배한 이후로는 '모순'이라는 단어만 남고 그것이 본래는 '요순'의 허구성을 지적하기 위함이었다는 사실은 언급조차 할 수 없었다.[3]

이처럼 객관성과 비편향성은 이상으로만 존재하고 현실과 들어맞지 않는데, 근대역사학의 아버지로 불리는 **랑케**Leopold von Ranke, 1795~1886는 그것이 가능하다고 여기고 역사서술의 기본자세로 삼았다. 랑케는, 역사서술은 감정이나 가치 판단에 있어 주관성이 철저히 배제된 중립적인 것이어야만 한다고 천명하면서, **역사가란 단지 "그것이 본래 어떻게 있었는가"를 알리는 것에 충실해야 한다고 주장했다. 그에 따라 랑케는 역사 사실에 대한 해석보다 사실을 찾는 데 주안점**을 두고 유럽 주요 도시의 문서보관소에 오랫동안 잠자고 있던 수많은 사료를 발굴하고, 역사학에 과학적이고 실증적인 방법을 적극 도입했다. 이러한 랑케의 자세는 한동안 '무색중립의 정신'이라며 추앙받으며, 역사학이 근대학문의 하나로 자리 잡는 데 크게 기여한 것으로 평가받았다.

그런데 '중립'이란 무엇인가? 이 아름다운 말은 실제로는 아름답지 못한 이의 입과 손끝에서 나온다. 첨예한 논쟁 중에 갑자기 '중립'이나 '조건 없는 화해'를 꺼내드는 이들을 떠올려보자. 그런 말을

3_____ 요순(堯舜) 임금과 모순(矛盾): 모순 이야기는 『한비자』 논난(論難)편에 등장한다. 한비자가 모순 이야기를 통해 말하고자 하는 바는, 요 임금과 순 임금이 공존한 시기가 있는데, 순이 완전무결한 현자라면 요가 왜 필요했으며 요가 완전무결한 성인이라면 순이 왜 필요했는가 하는 것이다.

하는 이는 대개 '가진 자'나 '가해자' 또는 그에 기생하는 자이거나 생각 없이 도인행세를 하는 이들인 경우가 많다. 애초에 중립적인 위치에 있지 않았던 이의 불순한 의도에서 나온 말이거나 사태파악을 못하는 이의 말인 것이다. 이를 상기하면 랑케에 대한 비판은 나름의 설득력이 있다. 랑케는 공정하고 객관적인 역사서술을 표방했지만, 실상 그의 처신은 19세기 혁명기에 프러시아 왕정을 지지했으므로, 따라서 그의 역사관마저 기득권을 지지하는 뻔한 말장난이라는 의심을 살 만했다. 그리하여 랑케는 13세 연하의 역사가 드로이젠Johann Gustav Bernhard Droysen, 1808~1884 으로부터 "랑케처럼 분노와 열정이 없는 객관성은 제왕 아래

독일의 역사가 레오폴트 폰 랑케
랑케는 과학적이고 실증적인 방법을 도입해 역사학이 근대학문으로 자리 잡는 데 기여했다.

굽실대며 아양을 떠는 '환관宦官적 객관성'일 뿐"이라는 비난을 듣기도 했다.

이러한 점 외에도 공자와 랑케가 '술이부작'과 "그것이 본래 어떻게 있었는가"를 천명하면서 객관성과 비편향성을 추구한다고 자부한 것은 사실상 만용이었다. 영국 철학자 베이컨Francis Bacon, 1561~1626이 지적했듯이 "인간은 우상偶像에 빠져 있는 존재"[4] 라 완전히 객관적인 인식은 불가능하기 때문이다. 그리하여 마르크스Karl Marx, 1818~1883처럼 프롤레타리아 시각의 주관성과 당파성을 당당히 내세

독일의 역사가 요한 구스타프 드로이젠
드로이젠은 역사서술에서 랑케의 '분노와 열정
없는 객관성'을 비판했다.

우는 역사학이 등장하기도 했고, 현대에는 "누구를 위한 역사인가", 또는 "누구를 위해 역사를 쓸 것인가" 하는 외침이 많아지고 있다.

드로이젠의 비판과 이후의 다양한 목소리들은 귀 기울일 만한 가치가 있다. 일례로 사회적 약자의 입장에서 역사를 바라보는 것은 인간의 자유와 평등을 추구하는 점에서 의미 있는 관점이다. 그런데 거기서 더 나아가 무턱대고 "어차피 역사는 주관"이라든가 "모든 역사는 승자의 기록이므로 믿을 수 없다"고 단정하는 자세는 옳지 못하다. 살펴보았듯이 랑케의 처신은 분명 비판받아 마땅했지만, 랑케가 말한 객관적 실증의 정신은 굳게 지킬 필요가 있다. 남들이 "그것이 무슨 객관적인 것이냐?"고 하더라도 적어도 스스로는 객관적으로 바라보려고 노력한 것이어야 비로소 학문으로서의 가치가 있기 때문이다. 객관성을 추구했으나 객관에 이르지 못한 것과 아예 작정하고 근거 없는 주관을 설파하는

4_____ 베이컨의 우상론: 베이컨은 선입견과 편견으로 인한 허위를 우상이라고 명명하고 ① 종족의 우상(집단의 공통된 성질에서 생기는 문제) ② 동굴의 우상(환경, 습관, 교육, 취미 등의 영향으로 인한 문제) ③ 시장의 우상(사람들의 교제, 특히 언어가 사고를 제한하는 것에서 생기는 문제) ④ 극장의 우상(역사, 종교, 전통, 전설 등의 신봉에서 생기는 문제) 등 네 가지를 지적했다.

것 가운데 우리가 취해야 할 태도가 무엇인지는 자명하지 않은가?

　　사실 랑케가 보수적인 처신을 한 데는 나름의 명분이 있었다. 랑케의 시대는 사상적으로는 계몽주의적 합리주의가 유행하고, 정치적으로는 혁명이 유럽 전역으로 확대되었으며, 종교적으로는 종교개혁 이후 개별 국가들이 구교舊敎로부터 독립하여 개신교를 국교로 삼으며 그 우월성을 설파하고, 역사학에서는 낭만주의의 유행으로 각국의 역사학자들이 자기 나라의 특별함이나 우월함을 강조하며 불리한 것은 은폐하고 없는 사실을 조작하기도 하던 시기였다. 랑케 역시 루터파 개신교도였고, 개별 국가들의 특수성을 존중하는 역사관을 가졌지만, 그가 보기에 당시의 사상가, 혁명가, 개신교도, 역사학자 등은 본연의 자세를 잃고 자기중심적인 주장만 늘어놓으며 의도적으로 사실왜곡까지 자행하고 있었다. 랑케의 객관·중립 선언은 가진 자에 기생하려는 목적이 아니라 그런 판단에서 나온 반박인바, 따라서 무작정 비난할 것이 아니라 재조명할 필요가 있다.

　　그런데 역사에 관심이 많은 대중 가운데 상당수는 역사가가 객관적으로 바라보려고 노력하는 것보다 '우리에게 유리한 것'을 부각하여 후련함을 선사해 줄 것을 기대하는 경향이 있다. 이와 관련하여 제2부 제16장의 「우리에게 유리한 역사만 가르치고 배워도 될까: 「광개토왕비문」 신묘년조의 논란을 중심으로」에서 「광개토왕비문」의 해석을 둘러싼 한·중·일 연구자들의 논박과 그것을 대중에게 소개하고 소비하는 사례를 살펴보겠다.

"역사는 승자의 기록"이라는 말의 빛과 그림자

역사기록 회의(懷疑)의 명암

'역사'라는 단어가 들어간 명제 가운데는 출처가 불분명한데도 위인이 남긴 격언 같은 모양새를 갖추고 있는 것이 많다. 우리나라 사람들이 즐겨 쓰는 말 가운데 그런 예를 꼽아보면 "역사를 잊은 민족에게 미래는 없다" "역사에 만약은 없다" "역사는 승자의 기록이다" 등을 들 수 있다. "역사를 잊은 민족에게 미래는 없다"는 말은 신채호申采浩, 1880~1936가 한 말이라고 널리 알려져 있지만 근거가 없다. 정확한 출처를 알고 싶었던 역사 전공자와 애호가 다수가 신채호의 저술들을 샅샅이 뒤져봤지만 그런 말은 찾을 수 없었다. 이처럼 이 말은 출처가 불명하고 뜻도 명확하지 않지만 사용법은 일정하다. 대개 우리민족이 이민족으로부터 겪은 수난사를 이야기할 때 등장한다. "민족의 원한을 잊지 말자"는 비장하고 무서운 메시지인데, 그런 면에서 신채호가 거론된 건 단순한 오류가 아니라 불타는 애국심을 가진 사람이거나 민족주의를 과도하게 신봉하는 사람이 선동할 목적으로 만들어 낸 말임을 미루어 짐작할 수 있다.[1]

그에 반해 "역사에 만약은 없다"와 "역사는 승자의 기록이다"는 말은 일부 곡해해서 엉뚱하게 사용하는 문제가 있을 뿐 역사학의 기본정신에 입각한 표현이다. 곡해하는 이가 종종 있는 것은 이 말들이 양면성을 띠고 있기 때문이다. 역사가들은 "역사에 만약은 없다"는 말에 동의하면서도 역사적 사실의 잘잘못을 가리거나 역사이야기가 담긴 보따리를 풀어놓을 때는 '만약에'라는 가정을 즐겨 사용하고, "역사는 승자의 기록"이라며 왜곡된 진실을 바로잡겠다면서도 실제로는 바로 그 '승자의 기록'을 쉽게 버리지 않는다. 이 가운데 "역사에 만약은 없다"는 것은 '역사 인과론'과 직결되므로 제7장 「역사를 '교훈'으로 삼는 근거는 무엇인가: 역사 인과론(1)」에서 다루기로 하고 여기서는 "역사는 승자의 기록"이라는 말의 문제를 살펴보겠다.

"역사는 승자의 기록"이라는 말은 로마의 속담이라고 하기도 하고, 그리스 철학자 플라톤Platon, 기원전 428~424 또는 기원전 427~423의 "말할 힘이 있는 사람이 사회를 지배한다Those who tell the stories rule so-

---

1 _____ "역사를 잊은 민족에게 미래는 없다"는 말이 신채호의 말이라고 확산된 것은 MBC 「무한도전」 방송의 영향이 크다고 한다. 이에 대해서는 뉴스톱 팩트체크의 "[가짜명언 팩트체크] 역사를 잊은 민족에게 미래는 없다? 무한도전이 퍼뜨린 가짜 신채호 명언"에서 잘 정리했다.

ciety"라는 말에서 유래되었다고 하기도 한다. 하지만 이런 말을 본격적으로 쓰기 시작한 것은 근대 회의주의懷疑主義 철학의 태동과 관련 있다. 역사학이 정치나 종교의 지배를 받았던 중세까지는 정치·종교의 위세를 업은 기록들에 대한 의심을 드러내기 쉽지 않았는데, 르네상스와 종교개혁 이후 근대정신이 태동하고 사료비판 방법이 발달하면서 비로소 본격적으로 기록들을 회의하고 재검토하는 작업이 이루어졌다.

서양 근대철학의 선구자 르네 데카르트
데카르트의 '방법론적 회의'는 근대역사학에도 영향을 주었다. 역사학 본연의 자세인 진실 탐구의 의지도 의심하는 데서 생긴다.

'회의懷疑'는 서양 근대철학의 선구자인 데카르트René Descartes, 1596~1650 철학의 핵심인데, 이는 진리탐구를 위한 '방법론적 회의'다. 비록 데카르트 자신은 중세까지의 역사학의 실상에 넌덜머리를 내고 역사학을 매도했지만, 근대역사학은 그의 '방법론적 회의'에 많은 영향을 받았다. 역사학자들이 "역사는 승자의 기록"이라는 말을 종종 하는 것은 역사적 진실을 탐구하고 구명하기 위한 방법론적 회의의 일환이다. 기록이 승자의 입맛에 맞게 왜곡된 것이 아닌지 의심하는 데서 역사학 본연의 자세인 진실 탐구의 의지가 생긴다.

동양에서는 당唐나라의 역사가 유지기劉知幾, 661~721의 『사통史通』과 우리나라 실학의 선구자 성호 이익李瀷, 1681~1764의 「독사료성

조선 후기 실학의 선구자 성호 이익
대표작 『성호사설』은 '자질구레한 일(僿說)'을 기록한 것이지만, 천문, 지리, 역사, 경제, 문학 등 제 분야에 걸친 이익의 실학사상을 엿볼 수 있다.

패」라는 논설 등에서 결과의 좋고 나쁨을 두고 그에 부합하는 원인을 찾는 역사서술법을 지적한 것이 유사한 맥락이다. 유지기는 "아름다운 자에 대해 그가 아름답기 때문에 아름답게 여기는 것이니, 비록 악함이 있더라도 그를 비난하지 않는다. … 악한 자에 대해 그가 악하기 때문에 악하게 여기는 것이니, 비록 아름다움이 있더라도 그를 칭찬하지 않는다"고 했고, 성호 이익은 "역사란 이미 성공과 실패가 결정된 후에 쓰이기 때문에 그 성패에 따라 아름답게 꾸미기도 하고 나쁘게 깎아내리기도 하여 마치 당연한 것처럼 만든다. 또한 선한 쪽에 대해서는 그 잘못을 많이 숨기고, 악한 쪽으로부터는 그 좋은 부분을 반드시 없애버린다. 따라서 어리석음과 슬기로움에 대한 판별이나 선악에 따르는 응보應報가 마치 징험徵驗, 징조를 경험함할 수 있는 것처럼 보이기도 한다. (그러므로) 천년이 지난 뒤에 어떻게 참으로 옳고 그름을 알 수 있겠는가?"라고 했다.

"역사는 승자의 기록"이라는 말은 통계적으로는 사실과 가깝다. 승자의 선행을 열거하며 찬양하고 패자의 잘못을 드러내어 꾸짖는 역사서술이 압도적으로 많으니 틀린 말은 아니다. 또한 이 말은

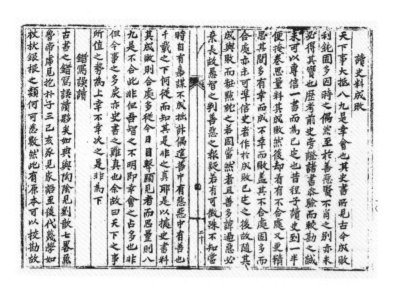

이익의 『성호사설』 가운데 「독사료성패」

"역사를 읽고 성패를 헤아린다"는 뜻으로 역사를 평가하는 균형된 자세를 강조한다.

과거의 역사서술이 민중의 역할을 배제한 것을 지적한다는 점에서도 의의가 있다. 과거의 역사기록은 대개 '권력자의 역사' 하나의 관점이었지만, 실제 역사의 다수는 권력자가 아니라 민중이므로 역사의 참모습을 알기 위해서는 민중의 시각을 비롯한 다양한 관점으로 살펴봐야 하기 때문이다. 현대에 이르러 역사기록에서 소외된 계층의 집단기억을 재생시키고자 하는 노력, 즉 '아래로부터의 역사'를 표방하는 역사학이 대두된 것은 "역사는 승자의 기록"이라는 지적에서 비롯되었다고 해도 무방할 것이다.

　이러한 '아래로부터의 역사'가 가능한 것은 승자 또는 권력자가 기록을 독점하여 패자 또는 소외된 계층의 역할을 기록에서 배제했더라도 그들의 집단기억까지 말살할 수는 없었기 때문이다. 그런데 적지 않은 사람들은 승자 또는 권력자가 패자 또는 소외된 계층의 집단기억까지 말살했다고 여기고 "역사는 승자의 기록"이라는 말을 쓴다. 하지만 실제 역사학, 특히 유학을 신봉하는 이들이 주로 역사를 서술한 동양의 역사학에서는 성립하기 어려운 상상이다. 전근대 중국과 우리나라의 역사가들 중에는 목에 칼이 들어와도 사실을 곧이곧대로 기록하겠다는 소신이 있는 이가 늘 있었기 때문이다.

물론 실록 같은 국가의 정사正史에서는 도의와 명분을 지키다 역적으로 몰려 사형당한 이를 부도덕한 자로 기술할 수밖에 없었지만, 그것은 손바닥으로 하늘을 가리는 일이었다. 승자는 진실이 담긴 판도라 상자의 뚜껑을 닫았지만 진실은 이미 상자를 열고 나와 날개를 달고 퍼져나간 뒤였다. 가령『세조실록』에서는 사육신死六臣이 국문鞠問과정에서 곤장의 고통을 이기지 못하고 줄줄이 스스로 죄를 인정한 것으로 서술했지만, 생육신生六臣의 한 사람인 남효온 1454~1492이「육신전六臣傳」을 지어 사육신들의 당당한 기개를 후세에 남겼다.

사실『세조실록』에 수록된 사육신 공초供草, 범죄자 심문 내용을 담은 문서 내용은「육신전」이 전하지 않더라도『세조실록』의 행간을 꼼꼼히 살펴보면 자체 모순이 있는 뻔한 날조임을 알 수 있다. "역사는 승자의 기록"이라는 말이 빛을 발하는 것은 바로 이런 경우다. 그런데 날조의 혐의를 찾을 수 없는데도 무턱대고 역사기록이 거짓이라 단정하고 정반대로 해석하는 역사평설이나 저서들이 적지 않다. 가령 백제의 마지막 왕인 의자왕義慈王, 재위: 641~660을 비운의 정복군주로 묘사한다든가, 폐위된 광해군光海君, 재위: 1608~1623을 성군聖君으로 칭송하는 평설이나 책이 그러하다. 그런 발상의 출발점은 역시 의자왕과 광해군이 패자이기 때문인데, 나름 그럴듯한 구색도 갖추고 있다. 가령 의자왕의 상징처럼 연상되는 '삼천궁녀'가 역사적 사실이 아니라는 것을 근거로 들거나, 광해군이 중립외교를 펼치고 대동법을 시행했다는 것을 근거로 든다. 하지만 그런 근거는 사실 논리학에서 말하는 허수아비치기나 허상에 불과하다.

의자왕을 비운의 정복군주라고 칭송하는 평설이나 책에서는 의자왕이 재위 초반에 신라와의 전쟁에서 큰 성과를 거둔 것을 부각하고, 재위 후반기의 실정失政에 대한 기록은 승자인 신라의 역사가 또는 신라를 추앙한 후대의 역사가가 의자왕을 의도적으로 폄훼할 목적으로 지어낸 것이라고 주장한다. 그러면서 증거로 내세우는 것이 의자왕이 '삼천궁녀'와 함께 낙화암에서 뛰어내렸다는 이야기가 거짓이라는 점이다. 즉 의자왕은 당나라에 잡혀가서 죽었고 정황상 '삼천궁녀'도 존재할 수 없는바, 의자왕에 대한 역사왜곡이 가해진 것이 확인되므로 재위 후반기의 실정 기록도 믿을 수 없다는 것이다.

그러나 타사암墮死巖, 낙화암 설화는 의자왕을 폄훼한 것이 아니라 원래는 미화한 것이었다. 의자왕은 태자와 함께 왕성인 사비성을 빠져나와 웅진으로 도피했다가 휘하의 웅진성 사령관에게 사로잡혀 나당연합군에게 바쳐지는 굴욕을 겪었는데, 타사암 설화에서는 의자왕과 후궁들이 "차라리 스스로 죽을망정 남의 손에 죽지 않겠다"

백마강에서 바라본 부소산 낙화암(일제강점기)
삼천궁녀가 투신했다는 낙화암 설화는 의자왕을 폄훼한 것이 아니라 원래는 미화한 것이었다.

고 결단하여 함께 투신한 것으로 묘사되어 있다. 또한 궁녀의 수가 '삼천'으로 과장된 것도 승자인 신라와는 아무런 관련이 없다. '삼천 궁녀'는 후대 문인들의 문학작품에서 비로소 나오는 표현이다. 원전 (原典,『삼국유사』에서 인용한『백제고기(百濟古記)』의 문구)에서는 '의자왕과 모든 후궁'이라고만 되어 있으므로 '삼천'이 존재하지 않았고, 의자왕의 투신이 실제와 다른 뜬소문이라는 것도『삼국유사』에서 이미 규명한바 있다. 그런데 후대의 문인들은 문학적 상상력을 버리기 아깝고 안타깝게 희생된 영혼이 많다는 걸 강조하고 싶었던지 『삼국유사』의 논증은 무시하고 설화내용만 인용했고, 마침내 궁녀의 수를 '삼천'으로 거론하기 시작했다. 그러던 것이 현대에 들어와서는 '삼천궁녀'라는 단어를 통해 의자왕의 성문란을 상상하기에 이른 것이다.

이처럼 '삼천궁녀' 문제는 조선시대 문인들과 현대 호사가의 상상에서 비롯된 것일 뿐 승자인 신라인 또는 신라를 추앙하는 역사가가 조작한 것이 아니었다. 백제 멸망 당시의 기록자부터 고려·조선시대의 사가들을 거쳐 근현대의 역사학자들에 이르기까지 백제 멸망의 원인으로 주로 지적한 건 삼천궁녀가 아니라 백제 지배층의 내분이었다. 이에 대해서도 누명이라 주장하기도 하는데, 그럴 가능성도 거의 없다. 백제와 우호적 관계였던 왜국의 역사서인 『일본서기』에서도 "백제는 스스로 망했다"는 평가가 인용되어 있는 점을 음미할 필요가 있다.

광해군에 대해서는 학계의 연구에서도 긍정적인 평가가 적지 않았고, 근자에는 역사평설가나 작가들의 호평과 영화·드라마의 영향으로, 그가 성군이며 그에 대한 나쁜 기록은 누명이라 여기는 이가 매우 많다. 물론 광해군이 즉위 전후에 겪은 일들과 당시의 내외정세를 감안하면 그를 무작정 비난하기 어려운 면이 있기는 하다. 하지만 그렇다고 해서 광해군을 성군으로 여기거나 역사기록에 보이는 그의 용렬함을 무작정 거짓이라고 몰아세우는 것은 잘못이다. 성호 이익의 지적처럼 폐위된 왕이므로 잘한 일보다 용렬함이나 패륜적인 언행을 많이 부각해 서술한 것일 뿐, 없는 사실을 만든 것은 아니었다. 필자의 설명에 의문을 가지는 독자가 적지 않으리라 여겨지는데, 그렇다면 전주대학교 역사문화학과 오항녕 교수의

조선왕조실록 『광해군일기』(적상산본) **표지와 본문**
광해군에 대한 긍정적인 평가가 있지만 성군으로까지 칭송하기는 어렵다.

『광해군, 그 위험한 거울』너머북스, 2012을 읽어보기를 권한다. 독서 후에는 더 이상 광해군을 성군으로 칭송하기 쉽지 않으리라.

　전통적으로 역사학은 원인탐구와 교훈전달을 중요하게 여겼으므로 승자나 성공한 자에 대해서는 승리나 성공의 원인을, 패자에 대해서는 실패의 원인을 찾아서 부각했고 그것들과 반대되는 사실은 중요하게 여기지 않았다(앞서 소개한 성호 이익의 「독사료성패」는 바로 이런 점을 지적한 것이다). 사료비판에 익숙한 역사연구자들은 그런 면을 인지하고 역사기록을 의심한다. 즉 역사적 진실을 찾기 위해 회의하는 것이다.

"역사는 승자의 기록"이라는 말을 어떤 이들은 역사토론에서 불리한 기록이 등장할 때마다 전가의 보도처럼 사용하기도 하고, 또 어떤 이들은 역사무용론을 설파하기 위해 사용하기도 하고, 또 다른 어떤 이들은 이 말을 절대 써서는 안 된다고 한다. 이러한 다양한 시각은 오늘날 갑자기 생긴 것이 아니라 오랜 연원이 있다. 그러면 이 말을 계속 써야 할까 아니면 그만두어야 할까? 필자의 생각으로는 역사의 진실을 찾기 위한 회의, 즉 데카르트식의 방법론적 회의라면 써도 무방하지만, 무작정 뒤집어보는 발상에서 사용하는 것은 그만두어야 하지 않을까 싶다.

성공하면 혁명, 실패하면 쿠데타?

사건의 명칭은 역사학뿐만 아니라 모든 인문사회학 분야에서 매우 중
요한 논점이다. 명칭이 사건의 선악과 성격을 규정하기 때문이다. 그
런데 명칭을 둘러싸고 치열한 논박을 벌이면서도 논자 다수가 해당 명
칭의 정의定義와 함의含意를 정확히 알지 못하는 경우가 종종 있다. 대
표적인 예가 '혁명revolution'과 '쿠데타coup d'État'다.

　필자는 매학기 수업시간에 학생들에게 혁명과 쿠데타의 차이를 물
어보는데, 가장 먼저 나온 답변은 어김없이 "성공하면 혁명, 실패하면
쿠데타"였다. 그게 무슨 뜻인지 아는가 물었더니 매번 머리를 긁적이
고 말았다. 이것 외에 다른 의견이 있는지 구하면 "합법적이면 혁명, 불
법적이면 쿠데타" "비폭력적이면 혁명, 폭력적이면 쿠데타" "민중이
하면 혁명, 군부軍部가 하면 쿠데타"라는 말이 줄을 이었다. 한 학생이
장난삼아 "어차피 인생은 내로남불 폼생폼사니 우리편이 한 건 혁명,
상대편이 한 건 쿠데타라고 생각합니다"라고 말한 것을 제외하면 위와
같은 답변들에서 크게 벗어난 적은 한 번도 없었다.

　학문적으로는 모두 틀린 답이다. 혁명과 쿠데타의 정의定義와 차이

1799년 11월 9일, 나폴레옹 보나파르트의 쿠데타 장면(프랑수아 부쇼, 1840)
역사에서 혁명과 쿠데타의 구분 문제는 단순하지 않다.

는 사실 단순한 문제가 아니라서 이를 자세히 공부하려면 오랜 시간이
필요한데, 간단히 도식적으로라도 알아둘 필요가 있다. 합법성, 폭력
성, 성공·실패 여부는 양자를 구분하는 기준이 아니며, **양자 모두 기존
의 제도 등을 파괴하는 공통점이 있으며, 건설이 있으면 혁명, 건설이 없
으면 쿠데타다.** 일제강점기에 신채호가 쓴「조선혁명선언」의 다음 문장
은 파괴와 건설을 동반해야 비로소 혁명으로 부를 수 있다는 통념을 바
탕으로 하면서도 무작정 건설할 것이 아니라 파괴가 우선이라는 것을
주장한 것이다. 신채호의 투철한 구국정신이 담긴 유명한 문장이라 많

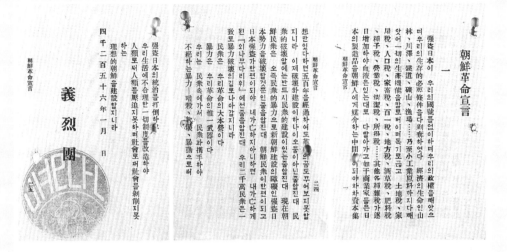

1923년 1월, 신채호가 쓴 「조선혁명선언」의 서두와 말미
혁명에서의 파괴와 건설의 관계를 헤아려볼 수 있다.

은 이들이 외워 읊으면서도 깊은 함의를 모르는 경우가 많은데, 혁명과 파괴·건설의 관계를 음미하고 다시 읽으면 새롭게 느껴질 것이다.

혁명의 길은 파괴부터 개척할지니라. 그러나 파괴만 하려고 파괴하는 것이 아니라 건설하려고 파괴하는 것이니, 만일 건설할 줄을 모르면 파괴할 줄도 모를지며, 파괴할 줄을 모르면 건설할 줄도 모를지니라. 건설과 파괴가 다만 형식상에서 보아 구별될 뿐이요, 정신상에서는 파괴가 곧 건설이니 이를테면 우리가 일본 세력을 파괴하려는 것이 제1은, 이족異族통치를 파괴하자 함이다. … **이제 파괴와 건설이 하나요, 둘이 아닌 줄 알진대**, 민중적 파괴 앞에는 반드시 민중적 건설이 있는 줄 알진대, 현재 조선민중은 오직 민중적 폭력으로 신조선新朝鮮 건설의 장애인 강도 일본 세력을 파괴할 것뿐인 줄을 알진대, 조선민중이 한 편이 되고 일본강도가 한 편이 되어, 네가 망하지 아니하면 내가 망하게 된 외나무다리 위에 선 줄을 알진대, 우리 2천만 민중은 일치로 폭력·파괴의 길로 나아갈지니라.

그러면 "성공하면 혁명, 실패하면 쿠데타"라는 말이 격언처럼 유명해진 것은 무슨 까닭일까? '혁명'과 '쿠데타'의 개념 차이는 그리 어렵지 않지만 실제 사건에서 건설 혹은 건설의지가 있는지 없는지 판단하는 것이 쉽지 않기 때문이다. 우리가 흔히 반란이나 쿠데타로 규정하는 사건을 살펴보면, 개인적 분노에 의한 대책 없는 폭동이나 무뢰한의 일시적 무단정치가 아니라면 대개는 나름의 건설의지 표방이 있었다. 즉 반란이나 쿠데타도 대개는 혁명의 무늬를 갖추었고, 그것이 성공하면 자신들의 행위를 혁명으로 포장했던 것이다.

"성공하면 혁명, 실패하면 쿠데타"라는 말은 이처럼 실제 사건이 혁명인지 쿠데타인지 정당하게 논의되지 않고 승자의 선언으로 결론지어진 역사에 대한 개탄인 셈이다. 가령 오늘날 우리가 당연히 '왕자의 난'이라고 부르는 태종 이방원의 거병擧兵이 조선시대에는 정안대군태종이 무인년에 거병하여 국가사직國家社稷을 안정시킨 업적이라 하여 '무인정사戊寅靖社'라 하기도 하고, 정도전이 일으켰다고 뒤집어씌워 '정도전의 난'이라 불렀는데, 만약 이 거병이 실패했다면 '정안군의 난'으로 역사에 남았을 것이다. "역사는 승자의 기록"이라는 말이 한편으로는 위험하면서도 한편으로는 빛을 발하는 것은 이런 이유다.

5 / 역사는 과학인가 문학인가

역사의 과학성 여부 논쟁

지금까지 역사의 정의와 역사의 효용성, 사료와 사료비판, 역사에서의 객관성과 주관성, 역사기록 회의의 명암 등을 다루었다. 이제부터는 역사의 과학성 여부 논쟁, 역사에서의 인과관계, 역사의 보편성과 특수성, 역사의 법칙성과 우연성 등을 비롯한 서양 근대역사학의 기초이론들과 주요 논쟁들을 살펴보고자 한다. 이 장에서 먼저 살펴볼 '역사의 과학성 여부' 논쟁은 재미없고 이해하기 매우 어려운 주제인데, 후술할 역사의 보편성과 법칙성 문제, 역사 인과론 등의 기초논점이므로 인내심을 갖고 살펴볼 필요가 있다.

역사학은 '사실事實, fact'을 중시하는 학문이지만, 동서양 모두 중세까지는 사실여부를 따지지 않고 모범적 사례를 제시해 교훈을 주는 목적으로 기능하는 경향이 짙었다. 가령 중국의 삼황오제三皇五帝 전설이나 서양의 기독교 역사 등은 믿기 어려운 내용들이 많은데도 역사적 사례로 자주 인용되었으며, 그 이야기가 실제로 일어난 일인지, 등장하는 각 인물들에 대한 선악판단이 과연 타당한지 의문을 제기하는 것은 신성모독처럼 취급되었다. 일례로 앞서 소개한 요순堯舜과 걸주桀紂의 사례를 들 수 있다. 또한 전근대에는 문자기록을 신성시하는 경향도 있어 주관적인 서술이나 후세에 소급된 기록도 무비판적으로 역사적 사실로 받아들이는 경향도 있었다.

따라서 19세기 초반까지는 역사학이 비과학적인 영역에 속하는 것으로 인식되었고, 아리스토텔레스Aristoteles, 기원전 384~기원전 322나 데카르트 같은 철학자들은 이런 점을 지적하면서 역사학을 수준 낮은 학문으로 폄하하기도 했다. 아리스토텔레스는 역사를 시詩보다 못한(덜 철학적인) 것으로 평가했고, 데카르트는 "역사가가 과거 사실을 삭제하거나 생략하고, 추가하여 기록하기 때문에 결코 과학이 될 수 없다"고 선언했다. 헤겔의 경우에는 인간의 일에도 자연의 일처럼 법칙적으로 일어나는 측면이 있다고 보고 "역사에는 과학적 성격과 관념적 성격이 서로 혼재한다"면서 두 사람보다는 조금 후한 점수를 주었지만, 결국 인간의 일에는 감정과 주관이 개입되고 우연이 작용하기 때문에 법칙성이 미미하다는 생각에서 역사의 관념적 성격, 즉 비과학적 성격에 무게를 두었다.

물론 19세기 이전에도 역사가 과학이라는 생각이 전혀 없었던 것은 아니었다. 서양 역사학의 창시자로 꼽히는 헤로도토스와 투키디데스는 이전의 신화나 호메로스Homeros의 서사『일리아스』『오디세이아』 같은 신神이나 보이지 않는 힘이 주체가 되는 '의사疑似, 본연의 것과 비슷하지만 다른 성질의 것역사'를 탈피하고 인간이 역사의 주체가 되고 사실과 인과관계를 중시하는 역사서술을 추구했다. 두 사람을 서양 역사학의 창시자로 꼽는 것은 바로 이런 점을 높이 산 것이다. 하지만 오늘날의 시각에서 바라보면 초보적인 수준의 과학성이었고, 이후로는 그런 생각조차도 단절되다시피 했다.[1]

사람들에게 『역사』를 읽어주는 헤로도토스
(하인리히 로이테만, 19세기)

헤로도토스는 신화적 역사를 넘어 인간이 역사의 주체가 되고 사실과 인과관계를 중시하는 역사서술을 추구했다. 역사는 과학과 문학의 양면성을 모두 지닌다.

그런데 태양이 지구를 도는 것이

1 _____ 헤로도토스에게 '역사의 아버지'라는 칭호를 부여한 사람은 로마의 정치가이며 법률가이자 철학자인 키케로(Marcus Tullius Cicero, 기원전 106~기원전 46)인데, 아리스토텔레스는 역사를 시보다 못한 것으로 폄하했지만 키케로는 정반대의 평가를 했다. "역사에서는 모든 것을 판단하는 잣대가 진실성이지만, 시에서는 재미에 의해 모든 것을 판정한다. 하긴 역사의 아버지 헤로도토스에게도 재미있는 이야기가 많기는 하지만"이라고 했다. 이 문구 가운데 뒷부분에 주목하여 키케로가 헤로도토스를 거짓말쟁이라고 비난했다고 해석하는 경우가 많은데, 핵심은 앞부분이다. 키케로는 역사가 진실성을 추구한다는 면에서 역사에 높은 점수를 주었고 그러한 역사의 선구자로 헤로도토스를 꼽는 한편, 헤로도토스의 저작이 진실성에 조금은 불완전한 면이 있으므로 뒷말을 보탠 것이다.

실증주의 철학의 창시자 오귀스트 콩트
역사학도 과학의 영역에 속한다는 생각은 실증주의 철학의 영향이다.

아니라 지구가 태양을 돈다는 것이 밝혀지는 등 자연과학의 힘이 증명되자 인문·사회 분야의 학문도 과학을 무시하고서는 존립할 수 없는 상황에 맞닥뜨리게 되었다. 역사가 과학인가 아닌가 하는 논쟁의 촉발은 이러한 시대변화와 직접적인 관련이 있다. 역사학도 과학의 영역에 속한다는 생각은 실증주의實證主義, positivism 철학의 영향에서 비롯되었다. 실증주의 철학은 17세기 과학혁명과 18세기 합리주의적인 계몽사상을 근거로 하여 19세기에 형성된 사회철학이다. 대표적인 철학자로는 프랑스 출신의 오귀스트 콩트Auguste Comte, 1798~1857를 들 수 있는데, 과학기술이 놀라운 발전을 이룩한 데 고무되어 미래에는 인류 최초의 황금시대를 맞이하리라는 꿈을 갖고, 과학만이 유일한 지식이며, 철학도 역시 과학과 같은 방법론을 가져야 한다고 주장했다.

실증주의 역사학은 이러한 실증주의 철학의 입장을 역사학에 접목한 것으로, 일곱 나라 말을 하고 열아홉 가지 문자를 읽었다는 영국의 역사학자 버클Henry Thomas Buckle, 1821~1862이 창시한 것이다. 버클은 종래의 역사서술에서는 형이상학적이거나 신화적인 사고에 의해서 현상들의 원인을 우연이나 신적神的인 섭리에 돌리는 경향이 있으며 기껏해야 도덕적이거나 정치적인 고찰로 장식되었다고 지적하면서, 실제 역사는 종교적, 도덕적인 힘의 영향으로부터 독립되어 있고 오히려 토지, 기후, 식량과 같은 외면적인 요인들의 영향 속에 있으므로 이 외면적 요인들과 인간정신과의 상호영향 속에서 역사발전이 이루어지는 것이라 주장했다. 또한 모든 학문은 개별 현상들을 고찰하는 것이 아니라 보편법칙을 찾아내고 증명하는 것이라고 주장하면서, 역사학에서도 통계학적 방법 등 자연과학적 방법을 응용할 필요성이 있다고 강조했다.[2]

19세기 영국의 역사가 헨리 토머스 버클
버클은 보편적인 역사법칙을 찾는 데 힘썼고, 자연환경에 따른 각 민족의 역사발전을 말했다.

이후 서양 근대역사학의 아버지로 불리는 독일의 역사학자 랑케도 역사를 '실증적인 연구를 통한 과학'으로 보았다. 다만 랑케의 시각은 버클이 역사의 보편성과 법칙성을 주장하며 과학으로 인식한 것과는 큰 차이가 있다. 랑케는 역사의 보편성과 법칙성을 부정했고, 역사연구를 할 때 역사가의 주관을 철저히 배제해야 한다는 자신의 연구방법론의 측면에서 역사를 과학으로 인식한 것이다.

2_____ 콩트(Comte)와 버클(Buckle)의 실증주의 사관을 좀 더 자세하게 알고 싶은 독자에게는 서강대학교 김영한 명예교수의 논문 「실증주의 사관 – 콩트와 버클을 중심으로 –」(차하순 편저, 『사관이란 무엇인가』, 청람, 1980에 수록)를 권한다.

이후 과학철학자 포퍼Karl Raimund Popper, 1902~1994와 헴펠Carl Gus-
tav Peter Hempel, 1905~1997에 의해 역사가 과학이라는 주장이 심화되
었다. 포퍼와 헴펠은 역사가가 역사적 사실을 설명할 때도 과학의
설명방식처럼 역사가의 개성과 주관을 완전히 배제하고 인과관계
를 바탕으로 한 일반화된 법칙에 의존하며 연역적-법칙적 설명과
귀납적-통계적 설명을 사용한다는 점을 지적하면서 역사가 과학이
라 주장했다. 우리나라 사람들이 가장 많이 읽는 역사학 입문서인
E. H. 카의 『역사란 무엇인가』에서 역사의 과학성을 강조한 것도 바
로 이런 맥락이다.

그런데 19세기 후반에는 역사 분야가 아니라 정치철학 분야에
서 역사의 과학성 여부에 깊은 논박이 있었는데, 이는 마르크스의
주장과 그에 대한 반론과 관련이 있다. 마르크스는 역사가 과학이
라고 가장 강력하게 주장한 사람으로 꼽을 수 있다. 마르크스는 과
거 역사에서 일정한 패턴을 발견하고 그를 토대로 필연적으로 공산
주의가 도래할 것이라 예언하면서, 이러한 자신의 이론을 '과학적
사회주의'라고 선언했다. 마르크스의 주장에 반감을 가진 부르주아
지 이론가들은 부지런히 반론을 폈지만, 마르크스의 주장이 워낙
설득력이 강해 전략적으로 과학의 위상을 깎아내리는 방법을 쓰기
도 했다. 즉 역사가 과학이더라도 과학 자체가 별것 아니므로 마르
크스의 예언도 믿기 어렵다는 식의 결론을 내려 한 것이다. 이처럼
과학의 위상을 격하하려는 시도는 역사가 과학이라는 생각을 시들

하게 했고, 또한 당시 크게 유행한 낭만주의의 예술이 가진 과학에 대한 반감도 작용하여 역사가 과학이 아니라는 생각이 다시 고개를 들었다.

영국의 고전학자이자 역사가 존 배그널 버리
버리는 1903년 1월 케임브리지대학 현대사 교수 취임 강연에서 역사가 과학임을 선언했다.

이런 풍토에서 20세기에 들어서자마자 역사가 과학인가 아닌가 하는 논쟁이 다시 불붙었는데 불씨를 댕긴 이는 영국 케임브리지대학 교수인 존 버리John B. Bury, 1861~1927였고, 그에 대한 진화를 시도한 이는 같은 학교 후배 교수인 트리벨리언G. M. Trevelyan, 1876~1962이었다. 역사학의 기초를 공부하는 우리가 이 사람들의 논박을 살펴보아야 하는 이유는 후술하듯이 트리벨리언의 문제제기에 의의가 있기도 하지만, 한편으로는 카의 『역사란 무엇인가』가 1961년 1월부터 3월까지 케임브리지대학의 '조지 매콜리 트리벨리언 강연'의 강연록이며, 따라서 카가 이 논박을 염두에 두고 자기 생각을 늘어놓았는데, 논쟁사를 잘 아는 케임브리지대학 수강생들과는 달리 우리나라 독자들 입장에서는 생소하여 매우 어려운 이야기가 되어 버렸기 때문이다.

버리는 1903년 교수 취임 연설에서 "인류 역사에 문학의 옷을 입힌다는 것은 역사가로서 할 일이 못 됩니다. 그것은 마치 별들의 이야기를 예술적 형식으로 표현하는 것이 천문학자로서 할 일이 아

영국의 역사가 조지 매콜리 트리벨리언
트리벨리언은 버리와 달리 역사의 문학적 기능
이 중요하다고 설파했다.

닌 것과 같습니다. … 역사는 설사 문학적 예술이나 철학적 사고에 대해 자료는 제공할지 모르지만 단지 과학일 뿐이며 그 이하도 그 이상도 아니라는 것입니다"라면서 역사의 과학성을 강조했다. 한참이 지난 후 트리벨리언이 『인디펜던트 리뷰』에 버리의 연설에 대한 반박문을 기고하면서 "역사는 위대한 국민문학의 일부이며 일반 대중의 문학으로 영향력을 발휘했지만 (이제는) 전문가들을 위한 과학으로 변질되었다"고 주장하면서 "역사의 불변의 본질은 '이야기'에 있다. … 역사라는 예술은 항상 설화說話의 예술로 남아 있어야 한다"고 주장했다. 트리벨리언은 역사에는 과학적 기능과 사유적 기능도 있지만, 문학적 기능이 가장 중요하다고 설파했다.

결국 논쟁은 평행선을 달리고 있으므로 역사학 공부 입문자로서는 어느 쪽 주장이 옳은지 판단하기 쉽지 않다. 양자 모두 설득력이 있기 때문이다. 예를 들어 역사학 논문에 대해 '소설'이라는 평가는 최악의 혹평인데, **역사학은 상상에 의존한 창작이 아니라 과학적인 실증에 기반을 두어야 한다는 인식**에 근거한 지적이다. 그렇지만 **실제 역사서술에서는 형식논리학적 검증방법을 금기시**하므로 역사학의 방법이 과학의 연구방법과 완전히 동일하다고 말하기도 어렵

제1부 역사학의 이론과 논쟁

다. 역사학에서도 가정과 검증, 논리학적 방법 등을 사용하지만, 문학처럼 실제 사례의 비유 등을 통해 설득하는 방법을 구사하는 것을 선호하기 때문이다. 서양 역사학에서는 한때 과학의 연구방법을 흉내내어 형식논리학적 논증이 유행한 적도 있었는데, "역사는 … 전문가들을 위한 과학으로 변질되었다"는 트리벨리언의 지적은 바로 이런 점에 대한 문제제기이기도 하다.

따라서 현재는 과학과 문학의 양면성을 모두 인정하는데, 굳이 가리라면 문학 쪽에 조금 더 가깝다는 인식이 우세하다. 우리나라에서는 E. H. 카의 『역사란 무엇인가』가 널리 읽혔던 까닭에 진보적인 입장인 연구자나 교양인들을 중심으로 역사가 과학이라는 생각이 한동안 크게 유행했지만 현재는 비판적인 시각이 많다. 1980년대 말에서 1990년대 초반에 종합대학들이 사학과가 포함된 인문대학을 인문과학대학으로 개칭했다가 추후 다시 인문대학으로 돌린 경우가 적지 않았는데, 이 또한 역사를 포함한 인문학이 과학이라는 생각이 한때 유행했다가 시들어진 시대상이 반영된 것이다.

이처럼 역사의 과학성 여부 논쟁은 뚜렷한 결론을 내리지 못하고 양면성을 모두 인정하는 쪽으로 마무리되었으므로 현재의 시각에서는 다소 부질없이 느껴지기도 하지만, 역사가 과학이라는 생각으로 인해 역사의 보편성, 법칙성, 진보 유무 등이 깊이 검토되는 등 근현대역사학의 토대를 쌓은 의의가 있다. 다만 역사가 과학이라는 입장(특히 실증주의 역사학)에서는 보편성, 법칙성, 진보 등을 너무 강조하여 각국의 역사학에 나쁜 영향을 끼친 면도 있다.

실증주의 역사학을 창시한 버클의 경우, 유럽문명과 비非유럽문명을 구분하고 근대의 자연과학 발전을 이룩한 유럽문명이 비유럽문명에 비해 보편적이고 우월하다고 주장한바, 실증주의 역사학 태동의 저변에 추후 제국주의의 식민지배에 악용될 소지가 있었던 셈이다. 즉 중세봉건시대를 거쳐 근대자본주의시대로 전환된 유럽문명이 보편적이고 법칙적이며 선진·우등한 문명이고, 그런 단계를 거치지 않거나 미흡한 문명은 후진·열등한 문명이라는 생각은, 비록 그런 생각 자체는 자기 문명에 대한 자신감의 표출일 뿐 폭력성을 갖고 있지 않았다 하더라도 자연스럽게 선진·우등한 자기들이 후진·열등한 이들을 지배하거나 선도하는 것이 당연하다는 논리로 귀결될 소지가 있었던 것이다.

특히 우리나라에서는 일제 식민사학의 '정체성론停滯性論' 이후 그에 대한 반론자본주의 맹아론과 재반론식민지 근대화론이 있었고 현재에도 논쟁이 진행 중(가령 이영훈 등의 저서 『반일종족주의』와 관련한 논쟁 등)인데, 이 논쟁의 근원을 찾아 거슬러 올라가 보면 버클, 헤겔, 마르크스 같은 이들이 강조한 역사의 과학성, 보편성, 진보사상, 유럽문명 우월주의 등과 맞닥뜨리게 된다. 일제 식민사학의 '정체성론'과 그에 대한 반론과 재반론에 대해서는 제2부에서 깊이 살펴보겠다.

'과학'은 수학처럼 답이 일정한
불변의 이치인가 아닌가

대전제 : 통계는 과학이다.

소전제 : 사주와 관상은 통계다.

결론 : 사주와 관상은 과학이다.

위 논증의 오류를 증명하시오.

몇 년 전 어떤 정신과 의사가 사주명리학과 관련한 책을 출간하면서 사주명리학이 정신과 환자의 진료에 큰 도움이 된다는 인터뷰를 한 적이 있다. 한 인문학 작가가 그것을 보고 자신의 페이스북에 의사가 비과학적 방법으로 진료하는 걸 자랑하는 셈이라며 비판하는 글을 올렸는데, 거기에 위와 같은 댓글이 붙었다. 페이스북 주인장인 작가와 친분이 있는 분이 순전히 장난으로 쓴 댓글이지만, 이 장에서 다루고 있는 역사의 과학성 여부 논쟁과 다음 장에서 다룰 역사의 보편성과 특수성 논쟁에도 크게 시사하는 바가 있다.

역사의 과학성을 부정하는 논자들은 '과학'은 대수학代數學처럼 답이 일정한 반면, 역사는 그렇지 않고 가변적이라는 것을 지적하고, 역사의 과학성을 강조하는 논자들은 '과학' 자체의 개념이 확실성을 추구하는 것에서 점차 개연성蓋然性을 추구하는 방향으로 전환되고 있음을 지적한다. 쉽게 말해 '과학'의 개념에 대해 서로 딴소리를 하고 있는 것이다.

위 삼단논법 형식의 댓글도 바로 이런 구조다. 논리상으로는 오류를 지적하기 쉽지 않은데, '과학'이라는 단어의 다의성을 이용한 기발한 장난인 셈이다. 즉 사주와 관상을 믿는 사람들이 기대하는 것은 확실성인데, 개연성을 다루는 통계를 언급했으니 허무해지는 것이다. 역사의 과학성 여부 논쟁 및 역사의 법칙성 여부 논쟁을 공부하면서 '과학'의 이런 다의성을 염두에 둘 필요가 있다. **역사법칙을 운운하는 경우에도 대개는 엄격하고 확실한 법칙이 아니라 보편적이고 통계적이고 제한된 의미의 법칙을 말하는데**, 확실성을 말하는 것으로 받아들여 서로 딴소리를 하는 소모적인 논쟁이 되기도 한다.

제1부 역사학의 이론과 논쟁

실증사학이 곧 식민사학인가

역사의 과학성 여부 문제와 관련하여 한 가지 더 살펴보아야 할 점은 역사가 과학이라고 주장한 **실증사학과 랑케**Ranke**의 관련성**, 그리고 더 나아가 **실증사학과 식민사학의 관계**다. 자주 언급했듯이 랑케는 과학적인 역사학 방법론, 즉 실증적 사료비판을 역사학의 기본으로 확립하여 근대역사학의 아버지로 꼽히는 인물이다. 그런데 역사학 이론 관련 서적들을 일별해보면 랑케를 실증주의 역사학자로 분류하는 경우도 있고 따로 떼어놓고 설명하는 경우도 있어 공부하는 입장에서는 매우 혼란스럽다. 왜 그럴까?

이유는 역사가 진보하는가, 역사에 보편성이 있는가, 과학의 발전 정도가 역사의 우열을 가늠하는 잣대가 되는가 하는 문제들에 대한 랑케의 시각이 버클 등 실증주의 역사학의 계보에 속하는 학자들의 시각과는 차이가 있기 때문이다. 랑케 역시 역사를 '실증적인 연구를 통한 과학'으로 보았으므로 실증주의와 무관하지는 않지만, 실증주의 역사학의 일반적 시각인 역사가 진보한다든가 인간이 이성을 가진 보편적 존재라는 생각에 반대했고, 인류사회의 보편성 주장에도 반대했다. 랑케

독일의 역사가 루트비히 리스(1900?)
1887년 동경제국대학 사학과 교수가 되어 1902년까지 세계사와 역사연구 방법론을 가르쳤다.

가 인정하는 진보는 물질 면에서의 진보뿐이었고, 그에게 인간은 나름의 감정과 개성을 가진 개별적 존재였다. 또한 랑케는 인류사회가 각각 나름의 문화와 제도와 역사를 가진 여러 민족으로 이루어졌다는 점을 강조하면서도 자기중심적인 우월성을 주장하는 것은 반대했다.

유사역사학에 빠진 이들 가운데 다수는 이런 차이를 모르고, 랑케의 역사관을 극복해야 식민사학을 타파할 수 있다는 주장을 빈번히 한다. 유사역사가들은 한국전쟁 이후 대학에서 교편을 잡은 이들(이른바 '강단사학자')을 모두 '랑케의 실증사학'의 후예로 분류하면서 "실증사학이 곧 식민사학"이라는 식으로 말하기를 좋아하는데, 그러면서도 그 말이 무슨 근거로 생겼으며 어디까지가 사실인지 제대로 아는 이는 그다지 많지 않다.

이런 오해가 생겨난 것은 일제 식민사학의 초기 연구자들이 랑케의 제자 루트비히 리스Ludwig Riess, 1861~1928에게 배웠다는 점에 주목했기 때문이다. 일본은 메이지유신1868 이후 동경제국대학을 설립하고1886 리스를 주임교수로 초빙하여 사학과를 창설했다1887. 랑케는 각 나라의 전통을 지지하는 역사관을 가졌고, 세미나를 활용하여 학생들에게 역사적 자료, 특히 원전原典사료를 비교하고 비판하는 법을 가르쳤다. 일본은 이러한 랑케의 사관史觀과 교육방법을 배워 황국사관을 정립하고 그에 복무할 일본사 및 한국사 연구자를 길러낼 요량으로 랑케의 제자인 리스를 초빙했던 것이다. 우리나라 역사학에 어두운 그림자를 드리운 시라토리 구라키치白鳥庫吉, 1865~1942와 하야시 다이스케林泰輔, 1854~1922도 그 과정에서 배출된 이들이다.

일본의 동양학자 시라토리 구라키치
만선사관(滿鮮史觀)을 주장한 대표적인
일제 식민사학자다.

그런데 랑케의 사관은 일본이 정립코자 했던 황국사관과는 부합하지 않는 면도 있었다. 언급했듯이 랑케의 사관은 각 나라의 전통과 특수성을 존중했으므로 일본이 서구의 강대국에 대응하는 논리로는 매력적이었지만 일본보다 약소국을 침략하는 논리로는 오히려 독이 되었기 때문이다. 그리하여 일제는 랑케의 사관이 아니라 버클의 사관(과학기술이 앞선 나라의 역사가 그렇지 못한 나라의 역사보다 우월하다는 생각)에 가까운 일본식 실증주의 역사학을 만들어냈다. 유사역사가들은 이런 맥락을 제대로 이해하지 못하고 저런 타령을 하는 것이다.

물론 모든 유사역사가들이 이처럼 수준 낮지는 않다. 유사역사 관련 글을 주로 싣는 한 출판사에서는 서양사 전공자를 초빙하여 위와 같은 일본 실증사학의 성립과정을 적절하게 소개하기도 했다. 도식적으로 이해해서는 안 된다는 지적이다. 그런데 그런 지적을 하면서도 일본의 식민사학이 한국사학에 미친 영향을 설명하면서는 의아하게도 스스로 비판한 도식을 사용했다. 랑케의 제자 리스에게 배운 일제 식민사학자들의 사관史觀이 랑케의 사관과는 부합하지 않는다고 잘 소개해놓고 한국역사학의 계보를 설명하면서는 누구는 식민사학자 누구의 제자이기 때문에 식민사학을 계승했고 이후로도 계속 식민사학을 계승해 지금까지도 전혀 흔들림 없이 식민사학이 대학에 뿌리를 내리고 있다는 식의 유사역사가들의 주장과 비슷하게 설명한다.

결론을 말하자면, 일본이 근대역사학의 태동과정에서 랑케의 실증적 연구방법을 도입하여 배운 것은 사실이지만, 다수의 유사역사가들이 주장하는 그런 도식, 즉 랑케의 실증사관이 곧 식민사관이라든가, 식민사학의 계보가 지금도 강단사학의 주류로 계승되고 있다는 도식은 성립할 수 없다. 실상은 식민사학의 사관 자체가 랑케의 사관과는 정반대였기 때문이다.

이처럼 서양의 근대역사학이 일본에 도입되고 변질되는 과정, 그리고 우리나라 근대역사학의 태동과 전개과정은 매우 복잡하여 전공자가 아니면 쉽게 이해하기 어려운 면이 있는데, 유사역사가들이 이를 도식적으로 왜곡해서 설명하여 그에 솔깃한 대중들이 적지 않다. 일제강점기와 해방 후 우리나라 역사연구자들은 식민사학이 자행한 한국사 왜곡을 극복하는 것에 많은 노력을 기울여야 했는데, 유사역사가들은 연구자들의 사제師弟간 계보를 연결해 억지소리를 하면서 대중을 선동하고 있는 것이다.

역사는 보편법칙에 따라
진행되는가

역사의 보편성과 특수성

역사에 보편성이 있는가 아니면 특수한 사건들의 나열일 뿐인가 하는 문제도 서양 근대역사학의 중요 논제 가운데 하나로, 앞 장에서 살펴본 역사의 과학성 여부 논쟁과도 밀접한 관련이 있다. 서양 고대와 중세의 사상가들은 역사가 개별적인 사건의 나열일 뿐 보편적인 것을 추구하지 않는다고 생각했다. 이들은 대체로 개별적인 것보다 보편적인 것을 탐구하는 경향이었으므로, 역사가 보편적인 것을 추구하지 않는다는 판단은 역사가 그리 수준 높은 학문이 아니라는 생각과 짝하는 것이었다. 앞서 소개했듯이 아리스토텔레스가 『시학』에서 역사를 시詩보다 못한 것으로 평가한 것(엄밀히 말하면 "시는 역사보다 더 철학적이다"라고 했음)은 바로 그런 시각에서 한 말이었다.

역사가와 시인의 차이점은 운문을 쓰느냐 아니면 산문을 쓰느냐 하는 점에 있는 것이 아니라(헤로도토스의 작품은 운문으로 고쳐 쓸 수 있을 것이다. 그러나 운율이 있든 없든 그것은 역시 일종의 역사임은 변함없을 것이다), **한 사람은 실제로 일어난 일을 이야기하고 다른 사람은 일어날 수 있는 일을 이야기한다는 점에 있다. 따라서 시詩는 역사보다 더 철학적이고 중요하다. 왜냐하면 시는 보편적인 것을 말하는 경향이 강하고, 역사는 개별적인 것을 말하기 때문이다. "보편적인 것을 말한다"**는 것은 다시 말해 이러이러한 성질의 인간이 개연적으로 또는 필연적으로 이러이러한 것을 말하거나 행하는 것을 의미한다. 비록 시가 등장인물에게 고유한 이름을 붙인다 하더라도 시가 추구하는 것은 보편적인 것이다. "개별적인 것을 말한다"는 것은 이를테면 알키비아데스가 무엇을 행했는지 또는 무엇을 당했는지를 말하는 것을 의미한다.

아리스토텔레스의 생각으로는, 시인은 일어날 수 있는 일, 즉 개연성 또는 필연성의 법칙에 따라 가능한 일을 이야기하므로 시는 보편성을 지니지만, 역사가는 실제로 일어난 일을 이야기하므로 역사는 개별성이 두드러진다는 것이다. 아리스토텔레스가 말하는 "보편성이 있다"는 것은 과학적이라서 교훈으로 삼을 수 있다는 뜻이고, '개별적인 것'은 그렇지 못하다는 뜻이다. 물론 개별적인 것에서도 교훈을 얻을 수 있지만 반反결정론적이고 단칭單稱, 하나만을 일컬음적인 교훈일 뿐이어서 신뢰성이 떨어진다는 것이다. 오늘날의 사람들은 오히려 역사가 시보다 더 보편적이라고 생각하는 데 반해, 아리스토텔레스는 시가 보편적인 것을 다루고 역사는 개별적인 것을 다

호메로스의 조각상을 어루만지는 아리스토텔레스(렘브란트, 1653)
시인을 향한 아리스토텔레스의 존경심을 엿볼 수 있다. 그는 『시학』에서 역사보다 시를 더 높이 평가했다.

룬다고 생각했던 것이다,

　이런 생각은 아리스토텔레스 혼자만의 생각이 아니라 그리스 사상가들의 일반적인 생각이었으며, 이후로도 2000년 가까이 이어졌는데, 계몽주의 사상가들의 기계론적 인간인식에 의해 큰 전환을 맞이한다. 계몽주의 사상은 17~18세기 유럽의 새로운 지적 사조인데, 대다수 독자들은 중고등학교 시절 근대시민혁명의 사상적 토대가 된 '천부인권설天賦人權說'과 홉스·로크·루소 등의 '사회계약설社會契約說'과 짝하여 외운 기억이 있을 것이다. 후자인 사회계약

영국의 정치철학자 토머스 홉스
"만인에 대한 만인의 투쟁상태"를 극복하기 위해
사회계약에 입각한 강력한 국가가 발생했다고
주장했다.

설의 핵심주장은 개인들의 합의나 계약에 의해 국가가 발생했다는 것인데, 그 견해의 토대인 인간세계에 대한 시각이 한결같지 않고 각자 달라 다소 복잡하다. 가령 홉스Thomas Hobbes, 1588~1679는 인간사회의 자연상태自然狀態가 "만인에 대한 만인의 투쟁상태"여서 사회계약이 필요했다고 보는 입장이고,[1] 루소Jean-Jacques Rousseau, 1712~1778는 홉스와 달리 인간이 원래 평화를 지향했으나 사회적 발전이 타락을 낳았으므로 이를 극복하기 위한 대안으로 민주적 자치를 통한 입법을 하고 이를 준수해야 한다고 주장했다.

이처럼 계몽주의 사상가들의 인간 이해는 각자 견해차가 있지만, 인간이 사회적 환경의 산물이라 생각한 공통점이 있었다. 인간사회의 자연상태에 대한 시각이 달랐음에도 사회제도를 개선함으로써 인간성 자체를 개조할 수 있다고 뜻을 같이한 것은 그러한 공통점이 있었기 때문이었다. 즉 종래에 인간사

1_____ 홉스의 인간관: 홉스는 유물론(唯物論)자이자 유명론(唯名論, nominalism, 보편자의 실재성을 부정하고 단지 일반적 혹은 추상적인 용어들의 존재만을 인정하고 단정하는 철학적 견해)자로서 인간이 추구해야 할 궁극적 목적이나 지향해야 할 최고선(最高善, summum bonum) 같은 것은 없다고 주장했다. 그런데 그의 사회계약론은 "만인에 대한 만인의 투쟁상태"를 가정한 데서 나온 것이므로, 결과적으로는 인간 본성과 인간사회의 자연상태를 획일적으로 파악한 셈이 되었다.

회가 자연세계보편성이 있음와 달리 보편성이 부
족하다고 생각했던 것에 비해 **인간사회도 자
연세계를 지배하는 법칙들과 마찬가지인 보편
적 원칙의 지배를 받는다고 생각했던 것이다.**
그렇다면 각 나라 또는 종족들의 문화적 다양
성은 어찌할 것인가 하는 반문이 나올 수 있겠
는데, 계몽주의 사상가들은 그에 대비해 문화
적 다양성은 이성이 지배하는 시대에 도달하
기 이전의 무지와 미신과 편견이 낳은 결과라
는 답을 준비해 놓았다. **이러한 계몽주의 사상
가들의 기계론적 인간관은 헤겔과 마르크스 같
은 역사철학자들과 앞 장에서 소개한 콩트 같은
실증주의 철학자들에게 큰 영향을 끼쳤다.**

프랑스의 철학자 장 자크 루소
루소의 사회계약론은 근대 민주주의 형성에 기
여했고, 프랑스 혁명의 사상적 기반이 되었다.

  **역사의 보편성과 특수성 논쟁은 독일의 '역사주의' 역사학자들이
이러한 철학 사상가들의 보편주의적 인간관에 대한 반발로 시작된 것
이다.** 뒤집어 말하면 서양의 근대역사학이 하나의 독립성을 가진
학문으로 발전한 것은 이러한 철학 사상가들의 보편주의적 인간관
에 반기를 듦으로써 비롯된 것이었다. 철학자들은 역사의 보편성을
추구했지만, 역사가들은 경험적 현실로서의 모든 역사적 사실이 고
유한 가치를 지닌다고 생각했기 때문에 일어난 반발이었다.

  가령 문화, 국가, 민족 등을 연구 대상으로 할 경우 **독일의 역사**

주의 역사가들은 집단으로서의 특수성, 민족성, 문화적 특색, 집단의 식 등이 당연한 것으로 인정하면서 자신의 임무는 그러한 특수성을 사료의 조사를 통해 밝히는 데 있고, 보편법칙이 무엇인가 등에 대해서는 각별한 관심을 가질 필요가 없다고 생각했던 것이다. 대표적인 예로 랑케Ranke의 역사관을 들 수 있다. 앞서 소개했듯이, 랑케는 역사를 실증적 연구를 통한 과학으로 보는 데는 적극 동의했으나, 버클과는 달리 역사가 보편법칙에 따라 이행된다고 여기지 않았고, 사건들의 개별성에 주목했다. 즉 역사의 보편성을 강조하는 철학자와 역사가들은 사건들의 유사성에 주목한 반면, 랑케는 사건들이 각각 독립적이라 보았으므로 유사한 사건이라도 인과관계가 다를 수 있다고 해석했던 것이다.

역사의 보편성 여부가 근대역사학에서 중요하게 다뤄진 것은 바로 이렇게 역사의 인과관계 문제와 이 문제가 밀접한 관련이 있기 때문이다. 랑케는 사건들의 개별성과 특수성에 주목했으므로 인과관계를 중요시하지 않았으나, 역사의 인과관계를 중요시하는 역사가들은 역사의 보편성을 염두에 두고 있어 논쟁이 다시 불붙은 것이다. 또한 역사에서 보편적인 것을 읽어내려는 시각은 역사에서의 진보 유무 문제와 문명의 우월 논의와도 밀접한 관련이 있다. 우리나라 역사와 관련한 문제로, 일제 식민사학의 '한국사 정체성론'이 이러한 역사의 보편성과 진보사상을 강조한 데서 나왔는데, 이에 대해서는 제2부 제13장 「'한국사 정체성론'과 그 영향: 마르크스의 내재적 발전론과 정체성론에 대한 이해를 중심으로」에서 자세하게 살펴보겠다.

이후 이 논쟁은 막스 베버Max Weber, 1864~1920, 딜타이Wilhelm Dilthey, 1833~1911, 크로체Benedetto Croce, 1866~1952 등이 역사적 현상에서의 사실 규명과 해석이라는 것이 무엇을 뜻하는가 하는 문제를 다시 제기하면서 더욱 심화되었다. **현재 이 문제는 뚜렷한 결론을 내리지 못하고 특수성을 강조하는 입장과 보편성을 강조하는 입장이 양립하는 경향인데, 결국 두 가지 경향을 모두 갖고 있기 때문이기도 하다. 역사 자체에는 과학처럼 보편성이 있을 수 있지만, 역사가가 주목하는 것은 보편적이고 평범한 일상이 아니라 특수한 것이기 때문이다.** 가령 문학가나 예술가가 낙엽이 떨어지는 현상에 주목하는 것이 아니라 마지막 잎새에 관심을 갖듯이 역사가도 특수한 사건에 관심을 갖는다. 다시 말해 특수한 성격과 의미가 없다면 역사가의 선택을 받기 어려운데, 역사연구의 독창성을 추구하는 경향 때문이다. 그런데 일각에서는 이러한 특수한 사건에서 역사의 보편성이나 진보를 규명하는 것이 역사가의 진정한 본분이라고 주장하기도 한다. 논쟁이 끝나지 않고 돌고 도는 셈이다.

그러면 역사를 연구하거나 공부하는 이들은 도대체 어느 줄에 서야 할까? 연구자들의 경우에는 나름의 확고한 입장이 있을 수 있겠으나, 역사학 공부에 입문하는 입장에서는 보편성과 특수성을 상호대립적인 것으로 인식하여 하나를 배척할 것이 아니라, 양면성을 모두 인정하고 상호보완적 시선으로 사료를 바라볼 필요가 있다.

7

역사를 '교훈'으로 삼는 근거는 무엇인가

역사 인과론(1)

흔히 역사학을 비非실용적 학문으로 오해하기도 하지만, 역사학은 태동부터 오늘날에 이르기까지 실용적 학문이다. '실용'이라는 말이 인간의 '욕망'과 관련 있다고 보고 이를 탐탁지 않게 여기는 이들은 이 말 대신 '자기성찰'이라든가 '미래를 여는 거울'이라는 식으로 표현하지만, 따지고 보면 이 말들도 '실용'에서 크게 벗어나지 않는다. 사실 엄밀히 말해 역사공부가 실제로 성찰과 미래예측에 도움이 되었는가 하는 점에 대해서는 논란이 있을 수 있다. 그러나 역사가 있은 이래 역사를 공부하는 사람 대다수는 역사공부가 삶에 효용이 있다고 생각했다.

제1장 「역사란 무엇인가: 역사의 정의와 역사의 효용성」에서

역사를 배우는 목적으로 ① 박물하저 취미 ② 삶에 필요한 교훈을 얻기 위해서 ③ 과거사실을 통해 현재사실의 기원을 알기 위해서 세 가지를 소개한 바 있다. 이 가운데 ① 박물학적 취미는 역사공부에 입문하는 계기일 수도 있고, 입문 후에도 공부를 지속하게 하는 동력이 되기는 하지만, 역사공부 본연의 목적은 아니다. 자신의 조국해방을 위해 불꽃같은 삶을 살았던 프랑스의 역사학자이자 레지스탕스인 마르크 블로크Marc Bloch, 1886~1944[1]는 『역사를 위한 변명』의 서문에서 "역사연구를 기껏 무료한 상태를 벗어나는 데 이용하는 것은 불합리하며 심지어 범죄 같은 힘의 낭비라고 비난받아 마땅하다"면서 "박식博識 또한 심심풀이나 편집증으로 보이기 십상"이라 했다. 언뜻 들으면 도덕적 가치를 논한 말 같지만 핵심 논지는 취미나 박식 목적의 역사연구(또는 공부)는 시간낭비이고 인간의 삶에 보탬이 되는 역사연구(공부)가 되어야 한다는 것이다.

그에 반해 ②와 ③은 미지의 미래를 알고 싶은 욕망, 즉 '자기성찰'이라든가 '미래를 여는 거울'을 다른 말로 바꾼 표현인 셈으로, 바로 이런 면에서 역사를 실용의 학문이라 할 수 있다. ②**"역사를 통해 (미래의) 삶에 필요한 교훈을 얻는다"는 명제는 인간의 삶과 각 사회가**

---

1 _____ 마르크 블로크는 뤼시앵 페브르(Lucien Febvre, 1878~1956)와 함께 정치외교사보다는 사회사 중심의 역사를 표방하는 『사회과학사연보(*annales*)』를 창간해 20세기 새로운 역사학의 조류 형성에 크게 기여했다. 53세 되던 해 조국 프랑스가 나치(Nazi)에 점령되자 연구실을 박차고 나와 저항군에 자원입대했고, 이후로도 레지스탕스 활동을 하다 게슈타포에게 체포되어 혹독한 고문을 당한 뒤 총살당한 애국투사이기도 하다.

세부적으로는 제각각이더라도 기본적으로는 보편성이 있다는 인식을 바탕에 두고 있고, ③ "과거사실을 통해 현재사실의 기원을 안다"는 명제는 역사적 사실들이 각기 개별적으로 존재하는 것이 아니라 사실들이 인과관계因果關係를 갖추고 있다는 인식을 바탕에 두고 있다. 이 두 가지는 양자택일할 수 있는 것이 아니라 서로 유기적으로 연결되어 있다. 삶에 필요한 교훈을 얻으려면 기원을 알아야 하고, 기원을 알고 싶은 이유 역시 삶에 필요한 교훈을 얻기 위한 것이기 때문이다.

프랑스의 역사학자 마르크 블로크
반나치 레지스탕스 활동을 펼치다 생을 마감했다. 미완의 대표작 『역사를 위한 변명』에서 인간의 삶에 보탬이 되는 역사연구를 역설했다

그래서 **역사학에서는 '원인'을 탐구하는 것이 역사연구 본연의 목적이라고 말하기도 한다.** 헤로도토스로부터 근대의 역사가들을 거쳐 20세기의 E. H. 카에 이르기까지 역사가들은 역사에서의 인과因果 문제를 탐구하는 데 몰두했다. 헤로도토스는 『히스토리아역사』의 저술목적이 "인간들의 행적들이 시간이 지나면서 망각되어 헬라스그리스인들과 비非헬라스인들의 위대하고도 놀라운 업적들이 사라지는 것을 막고, 무엇보다도 헬라스인들과 비헬라스인들이 서로 전쟁을 하게 된 원인을 밝히기" 위함이라 천명했다. **즉 역사학의 시작이 기록보존과 원인탐구 목적에서 비롯되었던 것이다.**

그런데 말은 쉬워 보이지만, '원인'을 제대로 알기는 쉽지 않다. 역사서술에서는 원인과 결과가 동등한 자격으로 인과적으로 연결되어 있지만, 실제 역사는 결과만 분명하고 원인은 결과를 바탕으로 역사가들이 찾아낸 것에 불과하다. 현실세계에서는 원인이 먼저 있고 결과가 나중이지만 역사가의 사고에서는 결과가 먼저이고 원인이 나중이다. 역사가의 손을 거쳐 완성된 역사서술에서는 현실세계처럼 결과보다 원인이 앞서지만, 역사가가 역사서술을 하는 동안에는 언제나 결과를 먼저 꼽아놓고 원인을 찾는다.

가령 우리나라 축구사에서 히딩크 감독을 초빙해 계약한 것은 어떤 의미를 가질까? 만약 2002년 월드컵 대표팀이 초라한 성적을 냈다면 그 선택은 거의 조명되지 못했을 것이다. 월드컵 4강의 원동력을 찾는 과정에서 그 선택이 그러한 결과를 가져온 원인 가운데 하나로 부상한 것이다. 바로 이런 이유로 앞 장에서 언급한, 역사에 '만약'을 적용해도 되는지에 대한 가부 논란이 생긴다. "역사에는 만약이 없다"는 입장은 "지나간 결과는 움직일 수 없는 것"이라는 인식을 담고 있으며, '만약'을 가정하는 역사서술은 역사의 인과관계를 염두에 두고 "결과는 과거의 선택에 따라 가변적이다"는 인식을 담고 있다.

결과를 두고 그 원인, 즉 기원을 알고 싶은 욕망을 가지거나 '만약'을 상정하는 것은 역사가들만 가진 특수한 것이 아니라 '생각하는 인간 Homo sapiens'의 보편적인 습성이다. 자연과학자들이나 철학자들은 항상 '왜', '어째서'라는 질문을 하고 그에 대한 답을 찾기 위해 가설을 세운다. 평범한 사람들 역시 자신을 성찰하고 원하는 미래상을 가꾸기 위해 현재 처지의 기원을 찾는데, 때로는 자신을 홍보하거나 변명하기 위해 원인을 찾아내거나 망상하기도 한다.

『이솝우화』 '여우와 신포도'를 묘사한 삽화
(조반니 마리오 베르디조티, 1570)

　성공한 이는 자신의 성공이 피나는 노력의 결과임을 피력하기 위해 그럴싸한 원인을 찾고, 실패한 사람은 자신의 실패가 자신의 잘못이 아니라 사회의 부조리나 외부의 영향 때문이라고 변명하기 위해 다른 핑계, 즉 원인을 둘러댄다. 『이솝우화』에 나오는 포도 따기에 실패한 여우[2]처럼 인지부조화를 드러내는 것이다. 가령 로또에 걸린 사람은 자신의 혜안이 당첨의 원동력이라고 피력하기도 하고, 비행청소년의 부모는 "우리 아이는 그럴 아이가 아닌데 친구를 잘못 만나서 이런 일이 생겼다"고 핑계대기도 한다. 하지만 그들의 주장과는 달리 대개 전자는 갑자기 찾아온 행운, 즉 어떤 복권당첨자의 소감을 빌리자면 '얻어걸린 것'이고 후자는 자신의 잘못된 가정교육

2_____ 여우와 신포도: 여우가 포도나무에 달린 포도를 따먹고 싶었지만 높은 곳에 달려 있어서 따먹지 못하자, "저 포도는 틀림없이 시어서 먹을 수가 없을 거야"라고 말하고 다녔다는 이야기다. 루쉰의 『아큐정전(阿Q正傳)』에 보이는 주인공 아큐의 '정신승리'와 유사한데 심리학에서는 이를 '인지부조화'라고 한다.

이 원인인 경우가 많다.

이처럼 결과를 두고 원인을 찾는 것은 누구나 일상에서 접하는 인간 본성이지만, 깊이 논의하기 시작하면 딱 부러지는 결론을 내리기 어렵다. 역사학에서도 바로 이런 까닭으로 '역사 인과성' 문제를 오래도록 논의했고 현재도 논박 중인데, 다음 두 장에서 좀 더 구체적으로 살펴보겠다.

역사와 교훈

"역사에서 교훈을 얻는다"든가 "역사를 교훈으로 삼는다"는 말은 논리적으로 입증할 수 없지만, 고대부터 근대에 이르기까지 많은 사람들이 경전구절처럼 여기고 역사공부의 주된 이유로 내세운 말이다. 이와 관련하여 흔히 인용되는 것으로 헬레니즘 시대 그리스 역사가 폴리비오스Polybios, 기원전 200?~기원전 118?의 "우리는 진정한 역사에서 생성하는 경험을 실제 생활에서 가장 훌륭한 지침으로 삼아야 한다"는 말, 로마의 정치가이자 철학자인 키케로Cicero의 "역사란 참으로 시대의 증인이요, 진리의 등불이며, 기억의 생명이자, 삶의 스승이고, 과거를 이어주는 전달자이다. … 역사는 본보기들로 가득하다"는 말, 르네상스 시기 이탈리아 역사가 귀차르디니Francesco Guicciardini, 1483~1540의 "과거는 미래를 비춰 주는 등불이다"는 말 등이 있다. 동양에서는 유학을 신봉한 사관史官들이 사실을 기록한 후 그에 대해 논평사론, 포폄할 때 '가관자可觀者, 볼 만한 것'가 있는지 없는지 살폈다. 현대 우리말의 '가관 可觀'은 "꼴이 볼 만하다", 즉 꼴불견이라는 뜻이지만, 『논어』를 비롯한 유학경전에 등장하는 '가관자'는 '교훈본보기으로 삼을 만한 것'이라는 뜻이다.

이처럼 역사에서 교훈을 얻을 수 있다고 생각한 것은 세계관 및 역사관과 밀접한 관련이 있다. 그리스·로마 시대 사람들은 같거나 비슷한 일들이 반복적이고 순환적으로 전개된다고 생각하는 역사관 순환사관과 인과응보 사상을 가졌으므로 선조先祖들의 행적을 보고 결과가 좋은 것은 그러한 결과를 가져온 기원, 즉 원인을 따르고, 좋지 않은 것은 달리 행하여 그 인과관계의 고리를 끊으면 나쁜 전철前轍을 밟지 않을 수 있다고 생각했다.

서양 중세와 근대 사람들은 순환사관循環史觀을 따르지 않고, 역사가 하느님의 나라로 향하고 있다는 직선사관과 진보사관을 가졌지만, 대신 역사의 보편성과 합법칙성을 믿으며 사건들의 인과관계를 중시하는 이가 많았다. 그러므로 역시 역사를 삶의 본보기로 삼을 수 있다고 생각하는 것에는 큰 차이가 없었다.

동양에서는 역사가歷史家의 기원인 중국고대의 '사史'가 원래는 천문天文, 점복占卜, 문서 등에 관한 일을 하던 사람을 지칭하는 단어였다는 점이 중요하다. 갑골문甲骨文을 살펴보면, 전쟁 같은 사건의 발생원인과 경과, 길흉에 대한 점복 판단점괘, 점복에 따른 이행의 결과(점의 적중 여부) 등이 함께 기록되어 있는 경우가 많다. 그런 면에서 갑골문은 역사기록이며, 후대後代 사람들은 점을 치지 않고도 전대前代의 갑골문, 즉 거북배딱지에 적힌 사건의 경과와 결과를 보고 전대의 행적을 따르거나 전대와는 다른 선택을 했다. 바로 이런 데서 '귀감龜鑑, 거울삼아 본받을 만한 것, 본뜻은 "거북배딱지를 거울로 삼는다"'이라는 단어가 생겼는데, 거북배딱지에 적힌 역사기록을 거울삼아 전대의 결과가 좋으면 인과관계를 따라 행하고 결과가 나쁘면 인과관계의 고리를 끊고자 했던 것이다.

**기원전 13~기원전 12세기
중국 상나라 때 점술에 사용된 갑골문**
'귀감(龜鑑)'은 거북배딱지에 적힌 역사기록을 거울삼는다는 말이다.

　물론 모든 역사가가 역사에서 교훈을 얻을 수 있다고 한 것은 아니었다. 이와 관련하여 "같은 강물에 두 번 발을 담글 수 없다"는 유명한 말이 있다. 그리스 철학자 헤라클레이토스Heracleitos, 기원전 535~기원전 475가 한 말인데, 원래는 "영원한 것은 없고 만물은 변화한다"는 뜻이었지만, 역사학에서는 보편성과 교훈성을 부정한 사례로 자주 인용되었다.

　헤겔은 "민족과 정부들은 단 한 번도 역사로부터 어떤 것을 배우지 못했으며 그것에서 얻었음직한 교훈에 따라 행동하지도 않았다는 점을 경험과 역사가 말해준다"고 했고, 랑케는 『라틴 및 게르만 여러 민족의 역사』의 서문에서 "세상 사람들은 모두 역사의 직무가 과거를 교훈 삼아 현시대를 밝히고 미래를 예측한다고 알고 있지만, 이 책은 그러한 호사스러운 욕심은 없으며 밝히고자 하는 것은 단지 있었던 그대로의 과거일 뿐이다wie es eigentlich gewesen"라고 했고, 20세기 영국의 역사가 토인비Arnold Toynbee, 1889~1975는 "인류의 가장 큰 비극은 지난 역사에서 아무런 교훈을 얻지 못하는 것이다"라고 했다.

　그런데 헤겔, 랑케, 토인비 등이 이런 말을 한 까닭은 한결같지 않다.

영국의 역사가 아널드 토인비
토인비는 순환사관의 입장에서 인류가 역사에서
교훈을 얻지 못했음을 지적했다.

랑케는 역사의 보편성보다는 사건들의 개별성을 중시했기 때문에 사건들이 각각 독립적이고 유사한 사건이라도 인과관계가 다를 수 있다는 생각에서 이런 주장을 한 것이다. 토인비의 말은 문명의 순환적 발전과 쇠퇴가 반복된다고 이해하는 입장에서, 역사에서 교훈을 삼았다면 그런 반복이 없었을 것인데 인간의 우매함으로 순환·반복되었다고 탄식한 것이다. 헤겔의 말은 개별성을 중시한 랑케의 시각과 인간의 우매함을 개탄한 토인비의 시각을 모두 포함하고 있다.

이 가운데 토인비가 순환사관의 입장에서 인류가 역사에서 교훈을 얻지 못했다고 지적한 점은 음미해 볼 필요가 있다. 이는 역사가 순환하는가 진보하는가 하는 문제와 직접적인 관련이 있다. 논리적으로는 역사에서 교훈을 얻었다면 역사가 순환하지 않고 진보하는 것이 옳고, 역사가 순환한다면 교훈을 얻지 못한 셈이 된다. 토인비가 보기에는 제1차 세계대전이 마치 2500년 전 펠로폰네소스전쟁과 흡사해 보였으므로 역사가 순환하고 인류는 역사에서 교훈을 얻지 못했다고 말한 것이다.

그러면 인간은 역사에서 정말로 아무것도 배우지 못했는가? 토인비보다 200여 년 먼저 살았던 이탈리아 역사철학자 잠바티스타 비코

제1부 역사학의 이론과 논쟁

Giambattista Vico, 1668~1744의 '나선형 순환사관'은 바로 이 점에 대한 본격적인 해명이었다. 비코는 역사가 순환하기는 하지만 나름 역사에서 배우는 면도 있으므로 그걸 교훈삼아 선택을 달리하여 더디게나마 진보했다는 생각으로 나선형 순환사관을 제시했다. 비코가 제시한 나선형 역사관에 따르면, 보기에는 같은 일들이 반복되는 것 같지만 과거의 일들에서 교훈을 얻어 조금씩 개선되므로, 언뜻 보기에는 원처럼 보이지만 실제로는 나선이라는 것이다. 토인비 역시 말은 저렇게 했지만 구체적으로는 '창조적 소수자'가 나와 '도전과 응전'을 통해 역사의 순환을 피해 갈 수 있는 방법이 있다고 했는데, 비코의 영향을 크게 받은 셈이다.

GIOVANNI BATTISTA VICO

17세기 이탈리아의 역사철학자 잠바티스타 비코
비코는 인류가 역사에서 교훈을 조금이나마 얻어 느리게 진보한다는 나선형 순환사관을 말했다.

8 / 역사 사건의 원인을
정확히 짚을 수 있는가

역사 인과론(2)

앞 장에서 사건의 원인을 알고 싶어하는 것은 '생각하는 인간^{Homo} ^{sapiens}'의 보편적인 습성이며, 그것에 집착하면 『이솝우화』의 '여우 와 신포도'에 나오는 여우처럼 엉뚱한 핑계를 대는 인지부조화를 나타내기도 한다는 점을 언급했다. 이처럼 엉뚱한 원인을 드는 사 례로 필자가 겪은 일화를 소개한다. 횡단보도를 건너려고 서 있다 가 곁에 있던 할머니들의 흥미로운 대화를 들은 적이 있다. 한 할머 니가 친구 아들이 사기죄로 구속된 사실을 전하자 동행인 할머니가 "어쩌다가 사기꾼이 되었을까?" 하고 물었다. 말을 꺼낸 할머니는 "그놈이 어릴 적부터 사기성이 있었다"고 했다. 구체적 사례를 묻자 돌아온 답변은 "그놈이 네 살 때 몇 살이냐 물어보니 다섯 살이라고 사기를 치더라"는 것이었다. 필자가 곁에서 그 말을 듣다가 '빵 터지는' 바람에 할머니의 눈총을 받았는데, 누가 들어도 빵 터질 만한 이런 사례에서 인과관계에 대한 인간의 섣부른 판단을 엿볼 수 있다.

역사학도 이와 같이 사건의 원인을 알고 싶은 욕망에서 자유롭지 못했고, 따라서 동서양 공히 사건들의 인과관계를 탐구하는 것이 역사 연구 본연의 목적이라 여겨왔다. 서양의 경우 최초의 역사서로 꼽는 헤로도토스의 『역사』에서 저술목적이 전쟁의 원인을 밝히기 위해서라고 명시한 점이 대표적이고, 동양에서도 사건의 발단을 먼저 서술해 놓고 뒤이어 '선시先是 또는 先時, 이에 앞서'라는 표현을 써서 사건의 원인으로 되돌아간 후 경과를 서술하는 경우가 많았던 점을 들 수 있다. 가령 『역사』에서는 페니키아 상인들이 아르고스에서 '이오'라는 공주가 포함된 여성들을 납치해 이집트로 데려간 것이 그리스-페르시아전쟁의 발단이라는 페르시아인들의 주장을 소개하고 있고, 『고려사』에서는 무신정변이 일어나기 24~26년 전에 김부식金富軾의 아들 김돈중金敦中, 1119~1170이 정중부鄭仲夫, 1106~1179의 수염을 불태운 짓에서 정변의 씨앗이 자라고 있었던 것처럼 서술하고 있다.

그런데 현대역사학에서는 이와 같은 전근대 역사서에 보이는 '원인'의 상당수를 인정하지 않는다. 필자가 어릴 때만 하더라도 김돈중의 천둥벌거숭이 행각이 무신정변과 큰 관련이 있다고 가르치고 배웠지만, 이제는 가십거리로만 소개할 뿐이다. 또한 무신정변의 직접적인 발발 원인에 대해서도 과거에는 보현원普賢院에서 진행된 수박희手搏戲, 무기 없이 손으로만 승부를 겨루는 전통 무예 때 구경하던 종5품

『고려사』열전 가운데 김돈중이 촛불로 정중부의 수염을 태웠다는 기록

『고려사』는 이 사건을 무신정변의 원인처럼 서술하고 있지만, 현대역사학에서는 그렇게만
보지 않는다. 무신들의 불만이 누적되어서 언제 일어나도 일어날 일이었다는 것이다.

문신 한뢰韓賴가 종3품 무신 이소응李紹膺의 뺨을 때린 사건 때문이
라 설명했지만, 현재는 그것이 도화선이 되었을 수는 있어도 주된
원인은 아니라고 설명한다. 즉 무신정변은 어느 날 우연히 일어난
것이 아니라 무신들의 불만이 오랫동안 누적된 데서 일어난 것이므
로 **언제 일어나도 일어날 일**이었다는 것이다. 비슷한 예로, 과거에
는 제1차 세계대전의 원인으로 세르비아의 청년이 오스트리아 황
태자 부부를 암살한 사건을 꼽았지만, 이제는 그것이 단지 도화선
이 되었을 뿐 근본 원인은 당시 유럽의 여러 나라가 서로 편을 갈라
대립하고 있었고 산업혁명으로 각국이 공급과잉에 처한 데 있다고

설명하는 것을 들 수 있다.

이처럼 역사의 인과관계를 바라보는 시각이 바뀐 것은 역사를 거시적으로 이해하고 역사가 필연적으로 어디론가 정해진 곳으로 향한다고 생각한 19세기와 20세기 전반 역사학 풍토의 영향이다. E. H. 카의 『역사란 무엇인가』의 제4장 「역사에서의 인과관계」에서는 이를 설명하기 위해 매우 흥미로운 예시를 들고 있다.

평상시의 음주량 이상을 마시고 파티에서 돌아오고 있던 존스는 거의 앞을 분간할 수 없는 컴컴한 길모퉁이에서, 나중에 브레이크에 결함이 있는 것으로 판명된 차로 로빈슨을 치어 죽였는데, 로빈슨은 마침 그 길모퉁이에 있는 가게에서 담배를 사기 위해 길을 건너던 중이었다. 혼란이 수습된 후 우리는, 예컨대 지방경찰서 같은 곳에 모여서 그 사건의 원인을 조사하게 된다. 그것은 운전자가 반쯤 취한 상태였기 때문이었는가? 그럴 경우 형사소추가 가능할 것이다. 아니면 결함이 있는 브레이크 때문이었는가? 그럴 경우 겨우 1주일 전에 그 차를 정밀검사한 수리점에 대해 무엇인가 조치가 있을 것이다. 아니면 컴컴한 길모퉁이 때문이었는가? 그럴 경우 도로를 관리하는 당국이 문제점에 주의를 기울이도록 소환될 것이다. 우리가 이런 실제적인 문제들을 논의하고 있는 동안, 두 사람의 유명인사(나는 그들의 신원을 밝히지 않겠다)가 방으로 불쑥 들어와서는 우리에게, 만일 그날 밤 담뱃갑에 담배만 있었던들 로빈슨은 그 길을 건너지 않았을 것이며 따라서 죽지도 않았을 것이다. 그러므로 로빈슨이 담배를 피우고 싶어한 것이 죽음의 원인이었다. 이 원인을 무시하는 모든 조사는 시간낭비가 될 것이며, 그런 조사에서 이끌어낸 어떠한 결론도 무의미하고 쓸모없는 것이라고 대단히 유창하고 설득력 있게 말하기 시작한다. 자, 우리는 어떻게 해야 할까?

이 예시를 통해 E. H. 카가 말하고자 하는 바는, '합리적 원인'과 '우연적 원인'을 구별해야 한다는 것이다. 즉 한 사건(여기서는 교통사고)의 원인은 다양한 경우가 많고(**원인의 다양성**), 그 다양한 원인 중에는 직접적인 것과 직접적이지 않은 것이 있는데(**원인의 등급성**), 음주운전과 브레이크 결함, 컴컴한 길모퉁이 등은 직접적이고 합리적인 원인이고 담배 문제는 직접적이지 않은 우연적인 원인이라는 것이다.

영국의 정치학자이자 역사가 E. H. 카
카는 역사의 인과관계를 밝히는 데 있어 '합리적 원인'과 '우연적 원인'을 구별했다.

색안경을 끼지 않고 E. H. 카의 설명을 따라가면 매우 설득력이 있어 보인다. 담배 때문에 죽었다는 주장이 말도 안 되는 궤변처럼 들리기 때문이다. 그래서 필자처럼 '역사학 입문'이나 '사학개론'을 가르치는 선생들은 카의 설명을 토대로 역사에서의 인과문제를 진지하게(!) 가르치고 학생들도 열심히(!) 배우고 익힌다.

그런데 카의 위와 같은 예시에 허점은 없는지 눈에 불을 켜고 살펴보자. 법적으로는 로빈슨의 흡연 욕구에 교통사고의 책임을 지울 수 없는 것이 자명하다. 존스의 음주운전이 상습적이거나, 브레이크 결함을 인지하지 못하고 운행을 계속하거나, 길모퉁이가 컴컴한 도로사정이 지속된다면 로빈슨이 사고를 당하지 않더라도 언젠가 누군가는 사고를 당할 개연성이 높으므로 음주운전, 브레이크 결함, 도로사정 등에 사고의 책임을 묻는 것이 당연하다. 그러나 로빈슨의 입장에서는 그 전에 담배를 끊었거나 그날 담배가 남아 있었더라면 바로 그날 그 시간에 담배를 사러가다가 존스의 차에 치여 죽지는 않았을 것이다.[1] 즉 사고원인이 아니라 로빈슨이 무엇을 하다가 죽었는지를 묻는다면 누구든 "담배를 사러 가다 죽었다"고 할 것이므로 담배와 로빈슨의 죽음이 완전히 무관하다고 할 수만은 없다.

카는 이런 반론을 예상했는지, 위와 같은 예시를 들기 전에 클레오파트라의 코가 조금만 낮았더라면 악티움해전이 일어나지 않았을 것이라는 프랑스 수학자 파스칼Blaiss Pascal, 1623~1662의 농담이나, 14세기 오스만튀르크의 바자제트 술탄이 통풍에 걸리지 않았더라면 중유럽이 초토화됐을 것이라는 영국 역사가 기번Edward Gibbon, 1737~1794의 과장이나 알렉산드로스 왕이 애완 원숭이에게 물려 죽지 않았다면 역사가 바뀌었을 것이라는 영국 수상 처칠Winston Churchill, 1874~1965의 연설을 언급했다. 즉 당시 많은 역사가와 호사가들

---

[1] _____ "바로 그날 그 시간에 … 존스의 차에 치여 죽지는"이라는 표현에 유의할 필요가 있다. 운명론을 믿는 이라면 "로빈슨이 (존스의 차가 아니라도) 그날 죽을 운명이었다"든가 "로빈슨이 (그날이 아니라도) 존스의 차에 치여 죽을 운명이었다"고 할 수도 있다. 이 문제는 '결정론과 자유의지론 논쟁'과 연관되어 있는데, 다음 장에서 다루어 보겠다.

이 클레오파트라의 코나, 바자제트의 통풍이나, 알렉산드로스 왕의 원숭이 같은 '우연'이 역사에서 중요한 논점이라고 주장한 것에 대해 카는 위와 같은 우연은 로빈슨의 담배처럼 역사를 움직이는 동력이 아니라고 주장한 것이다.

그런데 카가 역사의 인과관계에서 우연의 비중을 위와 같이 설명하기 10여 년 전에 카의 주장과는 전혀 반대의 주장이 이미 나와 있었다. 앞 장에서 소개한 프랑스 역사학자 마르크 블로크의 『역사를 위한 변명』 제5장 1절 '원인의 개념'에서 나온 예시다.

어떤 사람이 알프스 산속의 오솔길을 걷고 있다고 가정해보자. 그가 발을 헛디뎌 절벽 밑으로 떨어져버렸다. 이러한 사고는 수많은 요소에 의해서 일어났다. 주요인으로 중력의 법칙과 오랜 지질학상의 변천에 따른 토지의 기복, 그리고 마을과 여름의 방목장을 연결하는 길 등을 들 수 있다. 만약 천체역학의 법칙이 다르게 작용했거나 지구의 지질학적 변화가 다른 방식으로 진행되었다면, 그리고 알프스 산맥의 구조가 계절에 따른 양떼의 이동에 기초를 두고 있지 않더라면 추락사고가 일어나지 않았을 것이라고 말할 수 있다. **그런데도 추락사고의 원인이 어디에 있느냐고 묻는다면 누구나 다 발을 헛디뎠기 때문이라고 대답할 것이다.** 이것은 추락사고에서 발을 헛디뎠다는 사실이 가장 중요하기 때문은 아니다. 그밖의 다른 요인 역시 발을 헛디딘 것과 같은 정도의 영향을 미치고 있다. 하지만 발을 헛디뎠다는 사실은 적어도 다음과 같은 몇 가지 뚜렷한 특징에 따라 다른 것과 구별된다. 즉 그것이 마지막에 일어났다는 것, 세상의 일반적인 질서 속에서 극히 우발적이고 예외적이었다는 것, 그리고 마지막으로 가장 보편적이지 못하기 때문에 가장 쉽게 피할 수 있었다는 점이다. 이러한 이유 때문에 발을 헛디뎠다는 사실은 사건의 결과에 훨씬 직접적인 영향을 미쳤던 것처럼 보이며, 우리는 그것만이 그러한 결과를 낳게 한 유일한 원인이라는 느낌에서 벗어날 수 없다.

카가 제시한 예시에서 로빈슨의 담배, 즉 우연이 중요하지 않다고 동의했던 독자들도 마르크 블로크가 제시한 위 사례에서는 우연히 발을 헛디딘 것이 사고의 원인임을 부정하지 않을 것이다. 블로크1886~1944의『역사를 위한 변명』은 1949년에 발간된 유작이고, 카1892~1982의『역사란 무엇인가』는 1961년의 캠브리지대학 강연록이므로, 블로크의 명성을 감안하면 카가『역사를 위한 변명』을 읽지 않았을 리 없다. 그런데도 카는 왜 블로크의 주장을 완전히 무시하고 자기주장만 했을까? 필자가 생각하기에 역사를 이끄는 동력에 대한 두 사람의 시각이 근본적으로 달랐기 때문이 아닌가 싶다. 마르크 블로크는 현대역사학을 개척한 프랑스 아날학파의 공동창립자인 반면, E. H. 카는 근대역사학의 끄트머리로 분류할 수 있는 마르크스주의 역사학자다. 즉 시기적으로는 블로크가 카보다 선배 격이지만, 역사를 바라보는 관점은 카가 오히려 구세대였던 것이다.[2]

앞서 소개했듯이 E. H. 카는 '원인의 등급성'에 대해 언급했는데, 마르크 블로크는 마치 훗날 누군가가 그렇게 분류할 것을 예견한 듯이 "실제로 일종의 정신적인 편의에 지나지 않는 원인의 등급적 분류를 절대시하는 것은 위험하다"고 경고하면서 "현실은 우리에게 동일한 현상을 유발하는 무수히 많은 '힘의 선'[3]을 보여주고 있다. 그러한 '힘의 선' 가운데 우리가 행하는 선택은 극히 주목할 만한 특징에 기초를 두고 있지만 그것은 결국 하나의 선택에 지나지 않는다. 단순한 '조건'에 대립하는 특별한 원인이 있다는 생각은 매우 자의적이다. … 역사에서 유일한 원인이 있다는 미신은 때때로 책임자를 밝혀내는 일, 따라서 가치판단의 교활한 형태에 지나지 않는다는 사실을 기억해야 한다"고 지적했다.

제1차 세계대전에 종군한 마르크 블로크(오른쪽)
블로크는 뤼시앵 페브르와 함께 현대역사학을 개척한 프랑스 아날학파의 창립자다.

이런 면에서 현대 포스트모더니즘 역사학에서는 역사서술 속 사건들의 인과관계가 역사가들이 만들어낸 우상(또는 망상)이라 주

2_____ 노벨 생리학·의학상을 받은 자크 모노(Jacques Monod, 1910~1976)의 유명한 과학철학서 『우연과 필연』에서는 생명의 출현과 진화가 우연의 결과라고 주장하기 위해, 응급환자 왕진을 가던 브라운 박사가 지붕수리를 하던 존스가 떨어뜨린 망치에 우연히 맞아 죽은 예를 들었는데, 마르크 블로크의 예시와 같은 논지다.

3_____ '힘의 선': '사건의 원인' 또는 '역사를 움직이는 동력'이라는 의미로 사용한 표현인 듯하다.

장하기도 하며, 어떤 이는 더 나아가 역사적 사실은 각각 개별적으로 존재하며 역사사실 사이에는 인과관계가 성립하지 않는다고 주장하기도 한다.[4] 사실 실제 역사서에서 '기원의 우상(또는 망상)' 사례를 찾는 것은 어렵지 않다. 가령 동서양 모두 고대의 역사서술에서는 왕이 돌아갈 조짐으로 천재지변이나 비과학적 현상을 앞에 서술하거나, 왕의 승하昇遐에 대한 하늘의 화답으로 천재지변이나 비과학적 현상을 뒤에 서술한 사례가 숱하게 많다. 마르크 블로크는 고대의 역사서술에서 자연현상을 왕들의 죽음과 뒤섞어 서술한 것을 고대 역사가들의 무신경에서 비롯된 것이라 지적했지만, 그것은 고대인들 나름의 소박한 인과관계 찾기였다. 문제는 그 인과관계가 과학적으로는 전혀 설득력이 없다는 것인데, 아마도 블로크는 그 점에서 인과관계 찾기가 아니라 무신경이라 이해한 듯하다.

앞서 소개한 예들은 『삼국사기』 같은 역사서를 직접 읽지 않은 독자에게는 다소 생소할 수 있으니 좀 더 흔한 예를 들어 보겠다. 필자는 어린 시절 위인전을 읽으면서 주인공인 위인이 어린 시절에서 나쁜 짓을 한 이야기를 소개해 놓고 그것이 그가 훌륭한 사람이 된 계기라고 설명하는 것이 도무지 이해되지 않았다. 학교에서 배우기로는 선한 사람은 모든 것이 선하고, 나쁜 놈은 머리끝부터 발끝까

4＿＿ 역사의 인과관계를 무시한 대표적 학자로 1990년대 우리나라의 인문·사회·예술 분야의 전문가들로부터 많은 인기를 끌었던 프랑스 철학자 미셸 푸코(Michel Foucault, 1926~1984)를 들 수 있다. 푸코는 선험적으로 주어진 보편적 대상은 존재하지 않으며, 모든 개념들이 '담론의 대상'으로 주어졌을 뿐이라고 주장했다.

지 나쁘다는 식으로 배웠는데, 교과서 밖의 위인전에서는 이런 사례가 제법 있었으므로 매우 혼란스러웠다. 더군다나 어린 시절 똑같이 도둑질을 했는데 위인은 그게 위인이 된 원인이 되고, 나쁜 놈은 마치 이 장 서두에서 소개한 네 살 때 다섯 살이라고 우긴 것이 사기죄의 원인이 되었다는 할머니의 주장처럼 그게 악인의 본모습이라는 사례도 있었다. 물론 차이는 있었다. 위인전에서 강조하는 것은 나쁜 짓 자체가 아니라 나쁜 짓의 반성여부였다. 그런데 다시 따져보자. 위인전의 서술목적은 일단 그럴듯하고 교훈적이기도 하지만, 현실적으로 그게 정말로 맞는지는 따져볼 필요가 있다. 반성하면 그때부터 죽을 때까지 변함없이 착하고 훌륭한 일만 하는가? 사람은 이랬다저랬다 하고 때로 실수도 하지 않는가? 따라서 위인전의 위와 같은 역사서술은 일종의 '기원의 망상'일 것이다.

그런데 다시 곰곰이 생각해 보자. 원인을 잘못 짚거나 원인을 알 수 없는 사례가 많다고 해서, 사건들이 각기 개별적으로 존재하며 사건들 사이에는 인과관계가 전혀 성립하지 않는다는 것은 너무 나간 것이 아닐까? 앞서 언급한 할머니의 주장을 상기해 보자. 사실 할머니의 해석도 아주 터무니없는 해석은 아니다. 네 살짜리 아이가 나이를 올려 말한 것에서 훗날 사기행각을 벌일 싹수가 보였다는 건 말도 안 되는 소리지만, 거짓말하는 버릇이 성장과정에서 계속되었고 그것을 고치지 않은 것이 결국 사기범이 된 원인이라면 일견 그럴듯하지 않은가? 혹여 성장과정의 거짓말 버릇이 성장 후의 사

마르크 블로크를 조명한 프랑스 매체 기사

1998년 1월 28일 『리옹 카피탈(Lyon Capitale)』 에 「마르크 블로크, 역사의 교훈」이라는 제목으로 실렸다.

기행각과 아무런 연관이 없다는 것을 증명할 수 있다 하더라도 사기행각의 원인이 없다고 할 수는 없다. 다른 원인이 있을 수도 있고, 원인을 찾을 수 없다고 하더라도 인간의 한계로 못 찾는 것이지 원인이 아예 없지는 않을 개연성이 높기 때문이다.

사실 '기원의 우상'이라는 단어는 마르크 블로크가 쓴 말이며, 포스트모더니즘 역사학에서는 이 말을 따라한 것이다. 그러나 포스트모더니즘 역사학의 이런 시각은 마르크 블로크의 『역사를 위한 변명』이 그가 레지스탕스 활동을 하다 체포되어 총살당했기 때문에 미완성으로 남은 유작임을 간과한 것이다. 블로크가 남긴 원고의 마지막 문장이 "한마디로 말해, 다른 경우와 마찬가지로 역사에서의 원인은 가정되어야 하는 것이 아니라 탐구되어야 하는 것이다"라는 것을 미루어 보면, 그가 '기원의 우상'이라는 단어를 통해 지적하고자 했던 바는 성급하게 원인탐구를 가장한 "책임자를 밝혀내는", 즉 희생양을 꼽는 "가치판단의 교활한 행태"였을 뿐, 그 역시 역사에서의 인과관계를 소홀히 하지 않는 역사학자였던 것이다.

이처럼 역사에서의 인과관계 문제는 E. H. 카의 『역사란 무엇인가』만 읽으면 매우 쉬워 보이지만, 그 가부를 깊이 따져보면 매우 어려운 논제다. 앞서 살펴보았듯이 이 문제는 역사에서의 '우연'이 차지하는 비중과 관련이 있는데, 이 역시 역사학에서 오랫동안 매우 심도 있게 다루어 온 것이므로 다음 장에서 깊이 살펴보겠다.

9 / 역사를 움직이는 힘은 필연인가 우연인가

앞 장에서 '우연적 원인'에 대한 두 역사학자 E. H. 카와 마르크 블로크의 견해차를 살펴보았다. 카는 교통사고의 다양한 원인들을 '합리적 원인'과 '우연적 원인'으로 구분한 후 '우연적 원인'은 역사를 움직이는 동력이 아니라고 주장한 반면, 블로크는 마치 훗날의 카의 주장에 반론하듯이 그런 분류는 자의적일 뿐이라며 '우연적 원인' 역시 소홀히 할 수 없다고 주장했다. 그렇다면 누구의 주장이 옳을까? 사실 이 문제는 역사학의 태동 때부터 오늘에 이르기까지 대다수 역사철학자와 역사학자들의 골머리를 앓게 한 것이었고, 누구도 모두를 설득시킬 답을 내놓지 못한 것이었다.

대다수 역사철학자들과 역사학자들이 이 문제를 깊이 검토했는데도 결론을 내리지 못했고, 역사학도들 입장에선 아무리 열심히 공부해도 쉽게 이해하기 어려운 까닭은 철학과 역사학에서 말하는 '우연'의 의미가 모호한 데 있다. 사전에서는 '우연'을 "아무런 인과관계 없이 뜻밖에 일어나는 것"으로 풀이하면서 '필연반드시 그렇게 되도록 되어 있는 일'의 반대말이라 설명한다. 그런데 아리스토텔레스 이후 근대 이전까지 **2000여 년 동안 이어진 '필연'과 '우연' 논의에서는 양자를 대립적으로 보는 것이 아니라 '우연'을 필연 속에 종속시키는 경우가 매우 많았다.** 왜 그럴까? 학자들이 다른 이들에 비해 유별나기 때문일까? 그렇지는 않다. 철학자나 역사학자가 아니라도 적지 않은 사람들이 '우연'을 '운명의 장난'이라 여긴 점을 상기하자. '운명'은 '필연'의 또 다른 이름이 아니던가? 동양에서도 우발적 불행에 대해 '팔자八字소관'이라 운운하는 경우가 많으므로 크게 다르지 않다 할 것이다.

역사가 필연적으로 전개되느냐 아니냐 하는 논쟁은 서양철학의 '결정론과 자유의지론' 논쟁과 관련이 있다. 사전적 정의에 따르면 '결정론'은 "모든 일이 자연법칙과 인과관계에 의해 필연적으로 결정되어 있다고 보며, 사람의 운명 또한 미리 정해져 있다고 보는 이론"이고, '자유의지론'은 "모든 것이 필연이 아니라 인간의 자유의지나 우연에 의해 발생한다고 보는 이론"으로 '비결정론'이라 부르기도 한다. '결정론'에 대한 위 정의에서는 결정의 주체로 '자연법칙과 인과관계'를 제시했지만, 현실세계에서 '결정론'을 깊이 신뢰하는 이는 자연법칙이나 인과관계보다는 '신의 섭리攝理'나 운명을 주체로 믿는 이들이 훨씬 많다. 대표적인 예로 광신도를 들 수 있다.

길 가는 사람을 붙들거나, 혹은 가정집이나 사무실에 불쑥 방문하여 "도를 아십니까?" "예수 믿고 구원 받읍시다" "절에 가서 성불합시다" 하면서 포교하러 다니는 이와 마주치면 그냥 "관심 없습니다" 하면 될 것을 오지랖 넓게 도리어 그를 바른길로 인도하겠다고 나서는 이가 종종 있다. 필자도 그랬다. 그 논쟁에서 지기 전까지는.

운명의 여신 '포르투나' (한스 제발트 베함, 1541)
물레 위 작은 남자의 운명은 여신의 손에 전적으로 달려 있는 듯하다.

그 '교인'은 필자에게 하나님이 세상을 창조하시고 미래도 결정해 두었으며 인간이 해야 할 일은 오로지 하나님의 뜻을 따르는 것뿐이라고 열심히 설파했다. 그러자 필자는 그를 당혹스럽게 할 하나의 묘안이 떠올랐다. "하나님이 우리의 운명을 이미 결정해 두셨다면 오늘 우리가 죽거나 다칠 운명인지 아닌지도 이미 결정되어 있겠네요?" 하고 물었다. 그렇다고 했다. 그렇다면 지금 당장 이 건물에서 뛰어내려 보라고 했다(5층이었다). 하나님이 이미 당신의 운명을 결정해 두셨으니 죽지도 않을 것이며 심지어 조금도 다치지 않을 것이 아니냐고 하면서 속으로 쾌재를 불렀다. 그러자 돌아온 대답. "그럴 수 없습니다. 제가 뛰어내리지 않는 것을 선택하는 것도 이미 하나님이 정하신 것입니다. 하나님의 자식은 하나님이 정하신 바를 거스를 수 없습니다."

저 대답이 터무니없어 보이는가? 사실 전근대 철학자들과 역사학자들의 시각도 저 대답과 크게 다르지 않았다. '교인'의 주장을 굳이 문제 삼자면 '중세中世적'이며 '종교적'이라는 것 정도다('하나님이 정하신 바'라는 표현은 기독교에서 말하는 '신의 섭리divine providence'와 같은 말이다). 서양 속담에 "하늘은 스스로를 돕는 자를 돕는다"는 말이 있는데, 뒤집어 보면 스스로 돕지 않는 자는 하늘이 돕지 않을 뿐만 아니라 징벌도 내린다는 뜻이 내포되어 있다. 동양에서도 "진인사대천명盡人事待天命"이라는 비슷한 말이 있는데, 사람이 할 수 있는 일을 다하고 하늘의 명을 기다리라는 뜻이다.

홍익대학교 최성철 교수의 저서『역사와 우연』도서출판 길, 2016에 따르면, 전근대의 철학자와 역사학자의 뇌리에는 우연이 끼어들 자리가 거의 없었다. 역사가 규칙적으로 순환한다고 믿었던 고대 그리스·로마인들이 역사가 필연적으로 전개된다고 생각한 것은 당연했다. 아리스토텔레스의 경우 우연을 소홀히 대하지 않고 깊이 검토하기는 했으나, 결국 그가 내린 결론은 진정한 의미의 우연은 없고, 다만 미리 예정된 '필연적 우연'만 존재한다는 것이었다. 중세에 이르러 기독교가 서양의 정신세계를 지배하게 되면서 이런 생각은 더욱 강화되었다. 모든 것은 '신의 섭리'이며, 따라서 '우연'도 "하느님이 미리 알고 정하신 일"로 받아들여졌다. '인간의 자유의지'에 따른 우연은 없고 오로지 '신의 자유의지'에 따른 우연만 있다고 생각했던 것이다.

　이런 생각은 신의 의지보다 이성과 논리를 믿는 근대 학자들에게도 이어졌다. 17세기 네덜란드의 철학자 스피노자Baruch Spinoza, 1632~1677는 '우연'을 "무지無知의 도피처"라고 표현함으로써 고대와 중세의 필연론에 힘을 실어 주었다. 즉 우리가 '우연'이라고 부르는 것은 **인간 인식의 한계로 인과관계를 설명할 수 없어서 '우연'이라고 부를 뿐 실제로는 필연적인 것이라는 주장**인데, 현대논리학의 수준에서도 논파하기가 쉽지 않다.

　18세기 역사철학의 등장 이후에도 '필연'이 여전히 우세했다. **근대의 사상가들은 신이 창조만 하고 은퇴한 후 세상의 일은 이성理性이 관여한다고 생각했지만, 엄밀히 말하면 '신의 섭리'를 '이성'으로 바꾸었을 뿐 본질적인 시각에는 큰 변화가 없었다.** 칸트Immanuel Kant, 1724~1804의 경우 "모든 존재는 우연적"이라 생각했지만, 그가 말하는 '우연'은 원인이나 인과성이 없다는 전통적 우연의 개념이 아니라 "원인을 갖는 우연"이었다. 이후 헤겔은 인간들이 자신들이 무엇을 하고 있는지 모르고 어떤 일을 행하더라도 그것은 결국 '이성의 간계奸計, 간사한 계획'에 따른 역사의 일반적 목적을 수행하는 것이라고 주장하며 필연론을 심화했다. 마르크스는 공산사회의 성립이 필연이라고 선언했고, 이후 역사가 진보적으로 발전한다고 생각하는 학자들, 이를테면 E. H. 카 같은 역사학자들도 필연성을 강조했다.

17세기 네덜란드의 철학자 바뤼흐 스피노자
스피노자는 우연을 "무지의 도피처"라고 표현하여 필연론에 힘을 실어 주었다.

'우연'이 비로소 역사를 움직이는 중요한 동력임을 인정받게 된 것은 현대에 이르러서다. 이론적으로는 양자역학에서 나온 '불확정성의 원리'가 전통물리학의 법칙을 무너뜨린 데 영향을 받아 역사에서의 우연이 크게 부각되었던 것이다. 그런데 역사에서의 우연을 강조한 역사가 가운데 다수는 이런 이론적 해석보다는 본인이 직접 겪은 삶의 실패 경험에서 역사의 필연성을 의심하게 된 면도 없지 않아 있다.

기실 수많은 사상가들이 '필연'을 믿었던 것은 신 혹은 보이지 않는 힘이 **'사필귀정**事必歸正, 모든 일은 반드시 바른 데로 돌아간다는 말', **'인과응보**因果應報, 좋은 일에는 좋은 결과가, 나쁜 일에는 나쁜 결과가 따른다는 말', **'권선징악**勸善懲惡, 착한 일을 권장하고 악한 일을 징계함'을 이행하리라고 믿었기 때문이었다. 그런데 학자들 스스로 연륜이 쌓이면서 인생이 꼭 그렇게만 되지 않는 것을 직접 경험했던 것이다. 그래서 억울하게 궁형宮刑을 당한 사마천은 자신을 불행한 삶을 산 백이·숙제와 안회에게 투영하여 "하늘이 선인에게 보답함이 어찌 이와 같은가" 하고 묻고, 나아가 "도척이라는 악인은 사람의 고기를 날로 먹으며 천수를 누리다 죽었으니, 이 사람은 무슨 덕이 있어 이런 복을 누렸는가" 하고 물었고(제1장 「역사란 무엇인가: 역사의 정의와 역사의 효용성」 참조), 제2차 세계대전에 54세의 나이로 자원입대하여 굴욕적인 패배를 당했던 프랑스 역사학자 마르크 블로크는 역사에서의 '우연적 원인'을 소홀히 대하지 않았던 것이다.

하지만 이들은 그러한 절망 속에서도 하늘의 도(道)에 도전하거나 우연에 기대는 삶을 살지 않았다. 사마천은 자신이 받은 형벌이 하늘의 도와 부합하지 않음을 항변하면서도 역사저술을 마감하기 위해 굴욕적인 삶을 감내했고, 마르크 블로크는 이후 다시 레지스탕스 활동을 하다 체포되어 총살당하는 불꽃같은 삶을 살았다. 사마천과 블로크는 우연에 의해 사필귀정, 인과응보, 권선징악이 이루어지지 않음을 직접 겪었지만 각자 나름에게 주어진 사명에 충실했던 것이다. 이러한 점에서 우연을 '운명의 장난'이나 '팔자소관'으로 이해한 전근대인들의 사고를 마냥 유치하거나 광신적인 것으로 치부할 수 없다. **'운명의 장난'이나 '팔자소관'이라는 말은 자유의지를 포기한 현실수긍이기도 하지만 한편으로는 실패자나 핍박받은 자의 자기 위로도 되기 때문이다.**

역사를 움직이는 동력이 필연이냐 우연이냐 하는 논의가 많은 사람들의 관심을 끄는 이유는 역사학 공부 때문이 아니라 아마도 "인간의 운명이 정해진 것인가?" 혹은 "어떻게 살 것인가?" 하는 문제와 관련이 있기 때문일 것이다. 가령 종교를 믿을 것인가 하는 문제나 공산주의 같은 사상을 믿을 것인가 하는 문제에서부터, 로또를 살 것인가 주식을 살 것인가 혹은 비트코인 같은 가상화폐를 살 것인가 하는 문제까지 연관이 있다.

　필자는 이에 대한 답을 내릴 수 없다. 다만 각기 장단점이 있으므로, 양자 모두 소홀히 해서도, 그렇다고 무턱대고 신봉해서도 안 된다고 생각한다. 역사를 살펴보면 '사필귀정', '인과응보', '권선징악'이 반드시 이루어지지는 않았지만 그에 대한 믿음은 부정적인 면보다는 긍정적인 면이 많았다. 그런 면에서 필자는 일단 필연을 믿어보는 것도 나쁘지 않다고 생각한다. 다만 너무 깊이 신봉하면 광신도가 되거나 사상의 노예가 될 수 있으므로 유의할 필요는 있겠다.

　또한 갑자기 다가올 행운 같은 우연을 희망하며 사는 것도 긍정적인 면이 있다. 그런 상상은 때로 팍팍한 현실의 휴식처가 되기도 한다. 다만 온전히 그것만 믿어 도박 같은 일에 빠지는 것은 대체로 끝이 좋지 않았다. 도박을 금기하는 종교인은 도박꾼의 그런 말로에 대해 아마도 '신의 섭리'를 거슬러 천벌을 받았다고 여길 것이다. 종교를 믿지 않더라도 이런 생각을 굳이 반대할 필요는 없다. 앞서 언급했듯이 서양에서는 "하늘은 스스로 돕는 자를 돕는다"고 했고, 동양에서는 "사람이 할 수 있는 일을 다하고 하늘의 명을 기다려라"고 했다. 스스로 돕는 이와 사람이 할 수 있는 일을 다하는 이는 하늘이 아니더라도 인간의 이성으로도 (간혹 더디기는 하겠지만 언젠가는) 알아보는 법이다.

수동적(숙명론적) 결정론과
능동적 결정론

종교 유무와 관계없이 인간 이성의 힘과 자유의지에 따른 행동의 인과를 믿는 쪽에서는 결정론이 인간을 무기력하게 만들고 더 나아가 사회를 혼탁하게 한다고 지적한다. 신이 이미 정하셨다면 속된 말로 세상이 '될놈될 안될안'으로 굴러가는 셈이라, 될 사람은 그냥 제멋대로 살아도 되고 안 될 사람은 아무리 노력해도 안 될 것이니 사람들이 욕망만 좇거나 허무주의에 빠지게 된다는 것이다.

언뜻 들으면 맞는 지적이다. 그런데 이런 공격은 '숙명론적 결정론 fatalistic determinism'에만 적합한 것이다. 결정론에는 두 가지 유형이 있는데 다른 하나인 '능동적 결정론 activitic determinism'에는 이런 공격이 먹히지 않는다. 숙명론적 결정론에서는 어떤 일의 결과가 '신의 섭리'나 '이성의 간사한 계획'(헤겔 철학에서 나온 말)에 따른 것이라 보므로 인간이 그 전에 어떤 일을 했느냐를 중요시하지 않지만, 능동적 결정론에서는 모든 결과에는 원인이 있다는 것을 주목하므로 인간이 바라는 목적을 성취하기 위해서는 최선을 다해야 한다고 주장한다. 앞서 소개한 "하늘은 스스로 돕는 자를 돕는다"는 서양속담이나 "사람이 할 수 있는 일을 다하고 하늘의 명을 기다려라(진인사대천명)"고 하는 중국 경전의 격언도 이런 맥락에서 능동적 결정론의 주장과 상통한다.

이런 능동적 결정론은 역사의 필연을 설파하면서도 적극적 참여를 독려하는 사회철학이나 정치슬로건의 바탕이 되기도 한다. 가령 마르크스의 철학에서는 자본주의의 몰락과 공산주의로의 이행이 필연이라면서 한편으로는 투쟁을 강조한다. 대학 신입생 시절 필자는 운동권 선배에게 그걸 지적하면서 "어차피 될 일인데 굳이 왜 목숨 걸고 투쟁해야 합니까?" 하며 대들다 반동으로 찍혀 파문당했는데, 그 선배가 능동적 결정론의 입장을 알았더라면 필자를 설득하는 게 좀 쉽지 않았을까 싶다. 또한 선거입후보자가 자신이 반드시 당선된다고 주장하면서도 그래도 자신을 찍어 주십사 하는 것(19대 대통령 선거 때 문재인 후보측에서 '어대문(어차피 대통령은 문재인)'이라는 슬로건과 함께 '투대문(투표해야 대통령은 문재인)'이라는 슬로건을 함께 내세웠던 예를 들 수 있다)도 언뜻 들으면 모순이지만 능동적 결정론의 시각에서는 오류가 아니다.

교양인 중에서도 종교를 깊이 믿지만 인생은 자유의지에 따라 스스로 개척하는 것이라 말하거나, 무신론의 자유의지론자라 자칭하면서도 가끔 자신의 운명이 어떤지 궁금하여 역술가의 말에 솔깃해하는 경우가 있다. 언뜻 들으면 자기모순적인 것 같지만 사실 지극히 정상이다. 다만 그런 사람 대다수는 자유의지론자가 아니라 능동적 결정론자라는 게 맞겠다.

모든 역사는
현재의 역사인가

역사의 현재성과 재평가

"모든 역사는 현재의 역사"라는 유명한 말이 있는데, 이는 역사의 현재성을 이르는 것이다. 우리나라에서는 E. H. 카가『역사란 무엇인가』에서 거론한 "역사는 과거와 현재의 끊임없는 대화"라는 말이 유명하여 현재주의 역사학의 대표자로 카를 꼽는 이도 종종 있다. 그러나 이를 구체적으로 주장한 이는 이탈리아의 역사철학자 베네데토 크로체Benedetto Croce, 1866~1952다. 크로체는 "모든 역사는 현재사現在史다"라고 했는데, **역사가의 '현재 생에 대한 관심'만이 과거사실을 조사할 수 있는 동기가 되므로 당대에 아무리 의미 있는 일이라도 현재 역사가가 관심을 가지지 않는다면 선택받기 어렵고, 나아가 선택된 사실도 현재 역사가의 인식에 따라 해석될 수밖에 없다는 뜻으**로 한 말이다. 이후 영국의 역사철학자 콜링우드Robin George Collingwood, 1889~1943가 이를 계승했고, 같은 영국 사람인 카가 콜링우드의 주장을『역사란 무엇인가』에서 재론한 것이다. 그래서 대다수 역사학 서적에서는 이런 시각을 가진 역사철학자 계보로 크로체–콜링우드–카를 나열한다.

그런데 크로체보다 200년이나 앞서 역사의 현재성을 주장한 선구자가 있었다. 크로체와 같은 이탈리아 사람 잠바티스타 비코Giambattista Vico, 1668~1744다. 비코는 제7장에 부기한 「역사 돋보기: 역사와 교훈」에서 나선형 순환사관을 제시한 이로 소개한 바 있는데, 데카르트의 절대주의 철학을 비판하면서 **상대주의와 현재주의**를 추구한 역사철학자다. 데카르트는 "나는 생각한다. 고로 존재한다Cogito, ergo sum"면서 자연철학적 방법으로 사물을 명석판명하게 인식할 수 있다고 주장했는데, 비코는 "진리는 창조되는 것과 동일하다Verum ipsum factum"면서 데카르트식의 절대주의와 기계주의와는 정반대의 새로운 역사 사고체계를 세우고자 했다.

쉽게 설명하면, 데카르트는 영구불변의 절대적 진리의 존재를 인정하고 추구했는데, 비코는 자연과학이 발달하지 못했던 고대의 진리와 데카르트·비코 당대인 17세기의 진리가 한결같지 않음을 지적하면서 데카르트의 생각이 허상임을 규명하고자 했다. 이러한 비코의 역사철학은 오늘날 크게 재조명되고 있지만, 시대를 너무 앞서간 생각이라 200년 후 크로체가 비코의 계승자를 자처하기 전까지는 거의 주목받지 못했다. 크로체는 비코가 살던 옛 집을 인수해 직접 생활하기도 할 정도로 비코를 흠모했는데, 비코가 데카르

트를 비판한 방식으로 자신은 랑케를 비판하면서 현재주의 역사학의 체계를 세웠다.[1]

이탈리아의 역사철학자 베네데토 크로체
"모든 역사는 현재의 역사다." 크로체는 랑케를 비판하면서 현재주의 역사학 체계를 세웠다.

크로체의 주장은 "역사란 그것이 본래 어떻게 있었는가를 밝히는 것"이라는 랑케의 주장에 대한 본격적인 비판으로 평가받는다. 물론 제3장 「역사서술은 객관적이고 공정할 수 있는가: 역사의 객관성비편향성과 주관성편향성」에서 살펴보았듯이 랑케 생존 당시부터 이미 드로이젠 같은 후학들이 강하게 비판한 바 있다. 하지만 대개는 객관과 공정의 실현 가능성과 실증적이고 객관적인 역사만이 진짜 역사라고 주장하면서도 실제로는 보수권력을 옹호하는 랑케의 편향적이고 모순적인 태도를 지적한 것이었다. 그에 반해 크로체의 주장은 모든 역사가가 현재의 문제의식을 갖고 역사연구에 임하고 랑케 또한 예외가 아니라는 점을 지적한 것이다. 제3장 말미에서 소개했듯이 랑케의 객관적·중립적 역사 추구 표명 역시 랑케가 당면하고 있는 문제의식, 즉 당시 유행한 계몽주의적 합리주의의 횡포, 낭만주의 역사학의 왜곡·은폐·조작 행태 등에 대한 반발에서 나온 것이기 때문이다.

1 _____ 비코·크로체·콜링우드의 역사관에 대해서는 세종대학교 역사학과 이상현 명예교수의 책 『모든 역사는 현재의 역사다』(삼화, 2017)를 주로 참조했다.

이러한 '역사 현재주의'는 '역사의 재평가' 문제와 깊은 관련이 있다. 현재적 시각과 입장에서 과거 역사를 재평가하여 때로는 선악이 바뀌기도 한다. 우리나라의 경우 서양의 역사철학자들처럼 역사의 현재성을 구체적으로 논의하지는 않았으나, 전근대부터 그와 같은 입장에서 역사 재평가가 이루어졌다. 대표적인 예로 조선 11대 국왕 중종대에 역적으로 몰려 죽임을 당한 조광조趙光祖, 1482~1519가 다음 임금인 인종대에 복권되고, 14대 임금인 선조대에는 영의정에 추증되어 문묘文廟에 모셔진 일을 들 수 있는데, 이는 인종·명종·선조대에 사림士林이 정치의 주도권을 확장한 데서 가능한 일이었다. 19대 임금 숙종대에는 이러한 역사 재평가가 좀 더 많이 논의되었다. 그런 분위기에서 그동안 국왕 대접을 받지 못하고 공정왕恭靖王과 노산군魯山君으로만 불리던 임금들이 정종定宗과 단종端宗의 묘호를 받을 수 있었다.

현대에는 이러한 역사 재평가가 더욱 활발히 이루어지고 있는데, 그에 따라 사건의 명칭이 개칭되기도 했다. 대표적인 예로 1894년 동학농민군의 활동에 대한 명칭 문제를 들 수 있다. 1980년대까지는 농민군을 혁명군으로 인식하는 논자들도 따옴표를 붙여 '동학난'으로 지칭할 정도였는데, 지금은 '동학혁명' 또는 '동학농민운동'이나 '동학농민전쟁'이라 부르는 것이 일반적이다.[2] 또한 '5·16혁명'과 '5·18광주사태'라 부르던 것이 '5·16쿠데타'와 '5·18광주민주화운동'으로 고쳐 부르게 된 것도 들 수 있는데, 이는 민주화의 성과다. 제4장에 부기한「역사 돋보기: 성공하면 혁명, 실

정읍 황토현 전적 갑오동학혁명기념탑
역사 재평가에 따라 사건의 명칭이 바뀌기도 한다. 최근의 학술논저에서는 '동학혁명' 대신 '동학농민운동'이나 '동학농민전쟁'이라 쓰기도 한다.

패하면 쿠데타?」에서 언급했듯이 오늘날 우리가 당연히 '왕자의 난' 이라고 부르는 태종 이방원의 거병舉兵이 조선시대에는 '정도전의 난'이라 불렸던 것을 상기하면, 만일 아직도 군부독재가 계속된다 면 이러한 역사 재평가는 훗날을 기약해야 했을 것이다.

> **2____** '동학혁명'은 입장이 선명한 데 반해 '동학농민운동'이나 '동학농민 전쟁'은 가치중립적인 명칭이다. 진보적 역사가나 사상가들의 주도로 '동학혁 명'으로 부르는 것이 유행하다가 최근에는 '동학농민운동'으로 조금 물러난 것 은 정치적 입장차이라기보다는 실증적 측면에서 당시 농민군들이 과연 근대 적 혁명정신을 갖고 있었는가 하는 문제의식에서 비롯된 것이다.

중국 남송 초기의 무장이자 학자 악비
악비는 시대에 따라 평가가 달라져 중국민족의
영웅이 되었다가 역적이 되었다가를 반복했다.

그런데 이러한 현재의 시각이나 필요성에 따른 역사 재평가가 항상 긍정적인 것만은 아니다. 중국의 예를 들면, 공산화 이후 봉건시대의 잔재殘滓를 타파한다는 명목 아래 공자孔子의 사당을 파괴하는 일이 잦았는데, 근자에는 중국의 우월성을 강조하는 국수적 내셔널리즘의 득세로 공자를 중국민족의 영웅이자 스승으로 숭배하는 입장으로 전환한 양상이다. 또한 한족漢族의 우월성과 여타 족속의 야만성을 강조하던 중국의 시책이 21세기 들어 '다민족多民族국가' 표방으로 바뀌면서 그동안 중국민족의 영웅으로 추앙하던 남송南宋의 악비岳飛, 1103~1141 장군을 민족분열의 원흉으로 몰아세우는 시각도 등장하고 있다. 약체인 남송 군대를 이끌고 군사강국 금金나라의 침략을 수차례 저지한 악비의 공적은 한족 입장에서는 나라를 구한 것이지만, 금나라도 중국이라 보는 입장에서는 국가통합을 가로막은 셈이기 때문이다.

사실 악비 장군에 대한 평가는 일찍부터 시대변화에 따라 영웅이 되었다가 역적이 되었다가를 반복했다. 악비는 진회秦檜, 1091~1155 등 금나라와의 화친을 주장하는 이들의 무고誣告로 누명을 쓰고 억울하게 사형을 당했다. 사후 얼마 지나지 않아 누명을 벗고 복권되어 민족 영웅으로 추앙되었으나, 몽골족의 원나라가 건국되면서부터 다시 경시되었다. 이후 한족이 세운 명明나라 때 다시 명예가 회복되었고, 1894년 청일전쟁에서 일본에게 패한 후와 1931년 일본군에게 동북 지역을 점령당했을 때는 외적을 방어했던 과거의 영웅으로 다시 소환되었다. 그러다가 21세기 들어 다민족국가를 표방하는 중화민국 정부로부터 "외국 침략에 대항한 인물이 아니기 때문에 민족 영웅이라 할 수 없다"는 폄하를 받았다.

이처럼 상대주의적 시각에서 역사의 현재성만 일방적으로 강조하는 것은 위험성이 있다. 중국의 사례처럼 집권층이나 그에 기생하는 이들이 역사를 정치적 목적으로 악용할 수도 있고, 나아가서는 역사지식과 가치의 무정부 상태를 유발해 역사 가치를 혼돈하거나 대안 없는 회의주의로 빠질 위험성도 있기 때문이다. 이런 면에서 카가 말한 "과거와 현재의 끊임없는 대화"라는 말을 깊이 음미할 필요가 있다. "과거와 현재의 끊임없는 대화"라는 말 자체는 역사의 현재성만 강조한 것이 아니라 과거의 당시성과 현재성을 통합해야 한다는 주장이다. 카는 랑케식의 사실만의 추구와 콜링우드식의 회의주의·상대주의를 비판하면서 한편으로는 그 장점들을 받아들여 통합하려고 시도했다. 조금 다른 식으로 표현하면 '사실로서의 역사'만 추구하는 경향과 '이념으로서의 역사'만 추구하는 경향을 모두 경계하면서 양자를 소통시키는 역사학의 필요성을 설파한 것이다.

그런데 사실 카의 시도는 애초부터 실현 불가능한 것이었다. 과거와 현재를 소통시키겠다고 야심차게 선언했지만 현실에서는 현재만 말을 할 수 있고 과거는 대답할 수 없기 때문이다. 포스트모더니즘 역사학에서는 이런 점을 지적하며 카가 교묘한 말장난을 했다고 비판한다. 그러나 역사학 공부를 시작하는 입장에서는 오히려 카의 주장에 우선 귀 기울일 필요가 있다. 통합과 소통이 가능한지 논하기에 앞서, 카가 양쪽 시각을 모두 비판하는 동시에 모두 배려했다는 점을 음미해 볼 필요가 있다.

　　카의 주장을 비판하는 견해들 대다수는 역사의 현재성 또는 이념으로서의 역사만 강조하거나 반대로 역사의 당시성 또는 사실로서의 역사만 강조한다. 그런 면에서 역사학 입문자의 공부과정에서는 현실적으로 불가능하더라도 카의 주장을 따르는 것이 양쪽 시각을 모두 섭렵하는 데 큰 도움이 된다. 랑케의 길을 따를 것인가, 크로체와 콜링우드의 길을 따를 것인가 하는 것은 양쪽을 모두 공부한 뒤에 고민해야 할 일이기 때문이다.

　　다시 말해 카는 결과적으로 크로체와 콜링우드의 길을 따라갔지만 랑케의 주장도 무시해서는 안 된다는 시각에서 위와 같은 말을 했던 것이다. 랑케의 주장을 무작정 무시하면 실재와 가상, 선과 악의 구별이 없는 허무한 다원주의의 함정에 빠지기 때문이다. 그런 식이라면 역사학의 존립 자체가 무의미해지고 만다. 이런 면에서 카가 쓴 '끊임없는'이라는 수식어를 주목할 필요가 있다. 카는 역사 공부의 길이 선학先學 가운데 한 사람이나 한쪽이 내린 결론을 무작정 따라 외우는 것이 아니라 양면성을 받아들이고 통합하고 소통시키는 노력을 멈추지 않는 긴 여정임을 두루 알리기 위해 그러한 수식어를 썼던 것이다.

제2부

우리나라 역사학의
전개과정과
현대 한국사학의 논쟁들

'실증'이라는 단어에 '식민사학'이라는 선입견을 가지
는 대중이 적지 않은데, 한 역사가의 말처럼 역사학에
서 "실증은 선택이 아니라 의무"다. 한국사를 사랑하
는 대중 가운데는 이러한 역사학의 논의과정을 자세
히 알지 못하고 신채호를 존경하는 마음에서 그의 학
설을 금과옥조로 여기는 이가 적지 않은데, 유사역사
가들이 이를 기민하게 포착해 신채호의 이름을 팔아
장삿속을 채우고 있는 것이다. 연구자들이 욕먹는 정
도로만 그친다면 그러려니 할 일이지만, 청소년과 대
중의 역사인식에 심각한 폐해를 끼치고 있어 간과할
수 없는 문제다.

11 / 전근대 동양 사학의 특징과 서술원칙

제2부에서는 서양 근대역사학의 연구방법이 우리나라에 도입되고 오늘날까지 전개된 과정과 한·일 역사학계 간 시각차가 있거나 학계와 대중 간 시각차가 있는 한국사 논점들을 살펴보고자 하는데, 그에 앞서 우리나라 전근대 사학史學의 역사를 이해할 필요가 있다. 사실 이를 파악하려면 많은 양의 독서와 공부가 뒷받침되어야 한다.[1] 이 장은 우리나라 근대역사학 공부를 시작하기 전 맛보기 성격

---

1 _____ 한국사학사의 대강을 이해하기 위해서는 조동걸·한영우·박찬승 엮음, 『한국의 역사가와 역사학』(상·하)(창작과 비평사, 1994); 박인호, 『한국사학사대요』(이회문화사, 1996); 신형식 편저, 『한국사학사』(삼영사, 1999); 한영우, 『역사학의 역사』(지식산업사, 2002); 정구복, 『한국고대사학사』(경인문화사, 2008); 이기백, 『한국사학사론』(일조각, 2011) 등을 필수적으로 읽어야 한다.

의 글이므로 기초적인 역사학 지식을 쌓는 데 초점을 두고 전근대 중국 사학의 특징과 서술원칙, 그리고 그에 입각한 우리나라 역사서의 사례를 소개하고자 한다. 중국 사학을 중심으로 소개하는 것은 우리나라 사학이 중국문자의 전래와 유학의 수용으로 본격적으로 시작되었고, 이후로도 중국의 역사편찬 방식을 답습했기 때문이다. 주제가 폭넓은 만큼 공부할 것이 많지만 하나씩 따라가 보자.

중국 사학을 주제로 한 논저들[2]에서 공통적으로 언급하는 중국 사학의 특징과 서술원칙은 첫째, 사관직史官職과 편찬기구의 제도적 설치, 둘째, 사가史家의 광범위한 학식과 직서直書의 전통, 셋째, 덕통德統 또는 법통法統의 정통관념, 넷째, 감계鑑戒와 포폄襃貶, 다섯째, 술이부작述而不作·무징불신無徵不信·불어괴력난신不語怪力亂神 등이다. 어려운 용어들이 많은데, 각각의 개념과 서술방식, 그리고 실제 사례들을 살펴보자.

2_____ 중국사학사 공부 입문자에게 권할 만한 책으로는 신승하, 『중국사학사』(고려대학교출판부, 2000); 전목(이윤화 옮김), 『전목 선생의 사학명저강의』(신서원, 2006); 천쓰이(김동민 옮김), 『동양 고전과 역사, 비판적 독법』(글항아리, 2014); 두유운(이준희 옮김), 『중서고대사학비교—중국과 서양의 고대사학 비교』(어문학사, 2017) 등이 있다. 또한 김형종 편역, 『서문으로 보는 중국의 역사 사상』(위더스북, 2017)은 중국 사서의 서문을 모아 해제·역주한 책인데, 사가(史家)의 생생한 숨결을 맛보는 데 도움이 된다. 이 장을 집필하는 데도 이 책들의 도움을 많이 받았다.

사관직과 편찬기구의 제도적 설치

중국에서는 고대부터 역사를 기록하는 사관직史官職을 제도적으로 상설常設했다. 사관史官의 기원은 대체로 상商, 기원전 1600?~기원전 1046?나라 갑골문에 보이는 '사史'에서 찾는다. 우리는 '史'라는 글자를 '역사 사'로 지칭하지만 후한後漢 때 허신許愼, 58?~147?이 편찬한 『설문해자』에 따르면 '史'의 원래 뜻은 "일을 기록하는 사람"이었다. 즉 '사'는 처음에는 사관史官을 이르는 말이었고, 이후 '사관'과 '역사'를 모두 포괄하는 의미로 혼용되다가 최종적으로 '역사'를 말하는 단어로 한정되었다. 초기의 '사'는 역사를 기록하는 일뿐 아니라 미래를 내다보는 '무巫'의 역할을 겸하기도 했고, 맹인이 기억력이 특출하다고 여겨 임명하는 경우도 많았다(맹인 사는 '맹인 고(瞽)' 자를 써서 고사(瞽史)라고 불렀다).

역사기록을 전담하는 사관직과 편찬기구를 본격적으로 설치한 것은 상나라 다음 왕조인 주周, 기원전 1046?~기원전 256나라 때다. 이후 중국에서는 새 왕조가 개국되면 사관직과 편찬기구를 상설해 전前 왕조의 역사서를 편찬하고 당대의 사실을 기록했다. 서양에서는 헤로도토스와 투키디데스의 저술 이후 역사서술이 일부 역사가에 의해 단속적斷續的으로 이행된 반면, 중국에서는 역사를 지속적으로 서술하여 청나라 때까지 '24사史'를 편찬했다(중화민국에서 편찬한 『신원사』 또는 『청사고』를 합쳐 25사로 부르기도 하고, 두 책을 모두 합쳐 26사로 부르기도 한다). 멸망한 전 왕조의 역사를 관례적으로 편찬한 것은 현 왕조의 정통성을 주장하려는 목적에서 비롯된 면이 있는데, 결과적으로 그것이 전통이 되어 방대한 역사기록을 보존할 수 있었다. 이러한 국가 차원의 역사편찬 외에도 개인의 역사서술도 많았는데, 관찬사서보다 객관적인 시각에서 서술한 뛰어난 역사서도 적지 않다.

우리나라의 역사서술의 시작이 언제부터인지는 정확히 알기 어려운데, 앞서 언급했듯이 대체로 중국문자의 전래와 유학의 수용이 직접적인 영향을 준 것으로 이해한다. 유사역사가들은 고조선 때 '가림토'라는 고유문자가 존재했고 역사서도 편찬했다고 주장하지만, 위서인『환단고기』의 내용 외에는 근거가 없다. **현존 기록상 이름이 확인되는 가장 이른 시기의 역사서는 고구려의『유기**留記』인데, '국초'에 처음으로 문자를 사용할 때 어떤 사람이 사실을 100권으로 기록했다고만 전하고 있어 구체적 편찬시기를 알 수 없다. **영양왕 11년**600 **태학박사 이문진**李文眞**이 이『유기**留記』**를 깎고 고쳐『신집**新集』**5권을 편찬했다는 기록과 함께 등장한다. 백제에서는 **근초고왕**재위: 346~347 **때 박사 고흥**高興**이『서기**書記』**를 편찬했고**('서기'가 역사서가 아니라 역사기록 행위를 말한다는 견해도 있으나, 대체로 역사서로 이해한다), 신라에서는 **진흥왕 6년**545**에 이사부**異斯夫**의 건의로 거칠부**居柒夫 **등에게 명해『국사**國史』**를 편찬했다.**

사관제도의 설치에 대해서는 통일신라시대부터라는 견해가 다수이고, 삼국시대까지 소급한 견해도 있으나 확실한 근거가 있는 것은 아니다. 현존 기록상 가장 빠른 것은 고려 광종光宗, 재위: 949~975 때 사관을 설치했다는 것이다. 이보다 앞서 통일신라시대로 추정하는 견해는 고려 말~조선 초 문장가 이첨李詹, 1345~1405이 쓴 『쌍매당 협장집』에 "신라에는 이미 사관史官이 있어서 당시의 정사政事를 맡 아서 기록했다"는 글과 「영월 흥령사 징효대사 보인탑 석문」의 "그 의 효성과 자애가 사관史官의 기록에 실려 있고, 생전의 업적은 왕부 王府에 보관되었다"는 표현에 주목한다. 그런데 앞의 것은 이첨의 주 관적인 해석일 가능성이 크고, 뒤의 것은 징효대사가 신라인이지만 비碑가 고려 초인 944년에 건립되었으므로 고려의 사관을 지칭했을 가능성도 있다. 따라서 **우리나라 사관제도의 설치시기에 대해 누가 묻는다면 "(사관제도는) 늦어도 고려 초에는 확립되었고 통일신라시대 나 삼국시대로 거슬러 올라갈 가능성도 있다"는 정도로 답**하는 것이 좋겠다.

사가의 광범위한 학식과 직서의 전통

초기의 중국 사관은 가업으로 세습하는 경우가 많았지만, 후대 로 가면서 재才·학學·식識·덕德을 두루 갖춘 사람만이 임명될 수 있 었다. 즉 사관은 만물의 이치를 두루 알고, 모든 일에 정의롭고 엄숙 한 태도를 지닌 사람이어야 했으며, 그들 스스로도 엄청난 자부심 을 가지고 "법에 따라 숨김없이 기록한다"는 직서直書의 원칙을 지키 고자 했다.

그런 예로 중국 춘추시대春秋時代 제齊나라 재상 최저崔杼가 군주 인 장공莊公을 시해했을 때기원전 548 사관 3형제가 직서한 것이 자주

중국 춘추시대 진나라 사관 동호
'동호지필(董狐之筆)' 고사가 생겨났을 정도로 공정한 사관의 대명사로 꼽힌 인물이다.

언급된다. 최저는 자신에게 유리하게 기록하도록 사관에게 종용했는데, 사관은 "최저가 그 임금을 시해했다"고 썼다. 이에 최저가 사관을 죽이고 역시 사관인 그 아우들에게 다시 종용했으나 아우들도 형처럼 썼다. 최저는 둘째를 죽이고 막내마저 죽이려 했으나 나라에 사관이 더 이상 없다는 것을 알고 "최저가 그 임금을 시해했다"는 기록을 용인할 수밖에 없었다. 당시 제나라 남쪽에 있는 어떤 나라의 사관 한 사람이 제나라 사관이 최저에게 모두 죽임을 당했다는 소식을 듣고 자신이 뒤를 이어 진실을 쓰겠다며 출발했는데, 막내가 살아남아 사실대로 기록했다는 소식을 듣고 돌아갔다는 이야기도 전한다.

또한 춘추시대 진晉나라 사관 동호董狐의 사례도 유명하다. 진나라 재상 조돈趙盾, 조순이라고도 읽음이 군주인 영공靈公의 핍박을 피해 달아났는데, 조돈의 사촌형 조천趙穿이 영공을 살해하자기원전 607 다시 돌아와 성공成公을 옹립하고 계속 재상직을 맡았다. 그러자 사관인 태사太史 동호가 공식 기록에 "조돈이 군주를 시해했다"고 썼다. 엄밀히 말하면 조돈이 직접 시해한 것은 아니지만, 동호는 조돈이 재상의 본분을 지키지 못해 군주시해사건이 일어났고, 사촌형을 처벌하지도 않았으므로 조돈이 한 것이나 마찬가지라고 여긴 것이다.

이 이야기가 유명해진 것은 공자가 동호를 양사良史, 즉 훌륭한 사관이라고 칭송한 때문인데, 이로 인해 '동호'는 공정한 사관의 대명사가 되었고, '동호지필董狐之筆, 권세에 아부하거나 두려워하지 않고 원칙에 따라 사실을 사실대로 기록하는 것'이라는 사자성어도 생겼다.

또한 사관에게는 "임금의 거동擧動을 반드시 기록한다"는 직무원칙이 있었는데, 그 때문에 중국과 우리나라의 임금들은 행동의 제약을 많이 받았다. 중세 이후로는 우리나라가 더 엄격했는데, 아래에 소개하는 조선 정종定宗과 태종太宗의 사례를 보면 절로 웃음이 지어진다.

가. "경연經筵에 나아갔다가 여러 공후公侯가 환관·내시와 더불어 내정內庭에서 격구를 하느라고 떠드는 소리가 그치지 않으니, 임금이 사관 이경생李敬生을 돌아보며 "격구하는 일 같은 것도 또한 사책에 쓰는가?"라고 물었다. 이경생이 "임금의 거동을 반드시 쓰는데, 하물며 격구하는 것이겠습니까?"라고 답했다. (그러자) 임금이 "내가 전대前代 임금과 신하의 행사行事한 자취를 보고자 하니, 『고려사高麗史』를 바치도록 하라"고 하였다. 지춘추관사 조박趙璞이 『고려사』를 바쳤다. ___『정종실록』 1년(1399) 1월 19일

다 알듯이 정종은 왕자의 난을 일으켜 집권한 태종 이방원의 '얼굴마담'으로 즉위한 임금이다. 권력이 자신에게 있지 않았으므로 보신保身을 위해 권력에 욕심이 없다는 의사표시로 격구擊毬, 고려·조선

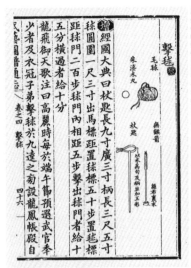
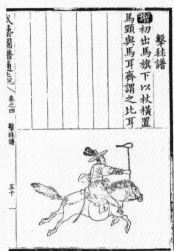

『무예도보통지』의 '격구보' 그림

사관은 임금의 소일놀이까지 자세히 기록했다.

시대 말을 타거나 걸어 다니면서 막대기로 공을 치던 놀이로 소일하며 보냈다. 그래도 국왕인지라 경연經筵, 임금의 학문수양을 위해 신하들이 임금에게 유교경전과 역사를 가르치던 일은 의무적으로 해야 했던 모양이다. 보신 목적으로 하는 격구였더라도 매일같이 심취한 걸 보면 정종 스스로도 격구하며 노는 것을 매우 좋아한 것 같은데, 하필 억지로 하는 공부시간에 신하들이 궁궐 마당에서 격구하는 소리가 들렸다.

　　정종과 사관 이경생의 문답을 비유하자면 이렇다. 요즘은 상류층들이 격구 대신 골프를 즐기니 말하자면 임금 공부하는 중에 밖에서 골프 치는 소리가 들린 셈이다. "굿 샷!" "나이스 퍼팅!" 소리에 공부하던 임금이 문득 궁금증이 생겨 사관에게 질문을 했다. "혹시 말야. 임금이 골프 치는 것도 역사기록으로 남기는가?" 그러자 사관이 "임금의 거동을 낱낱이 다 적는 게 제 임무인데 골프 라운딩한 걸 안 적을 리가 있겠습니까?"라고 답했다. 정종은 사관의 대답에 뜨끔했던 모양이다. '내가 매일 골프 치고 놀았는데… 그걸 다 적는 게 임무라니! 혹시 나를 망신 주려고 이러는 거 아냐?' 하는 생각이 들어 확인하고 싶어졌다. "내가 알기로는 고려시대 왕들과 신하들도 골프 많이 쳤는데 어디 다 적었는지 한번 보자. 여봐라!『고려사』를 가져와 봐라!" 한 것이다. 비록 동생 눈치를 보며 몸조심하는 데 급급했으나 놀기만 좋아한 지질한 왕으로 역사에 기록되는 건 두려웠던 것이다.

나. (주상께서) 친히 활과 화살을 가지고 말을 달려 노루를 쏘다가 말이 거꾸러져 말에서 떨어졌으나 상하지는 않았다. 좌우를 돌아보며 말하기를, "(이 일을) 사관이 알지 못하게 하라"고 하였다. ___『태종실록』 4년 2월 8일

이 기록은 역사 관련 책이나 강연에서 자주 언급되는 재미있는 일화다. 말에서 떨어지면 즉사하거나 중상을 입는 것이 다반사인데 다행히 다치지는 않은 모양이다. 태종은 과거에 급제한 문관 출신이지만, 자신이 무인 가문의 피를 물려받았다는 사실에 자부심이 강했던 인물이다. 임금이 말에서 떨어졌으니 신하들이 그 안위를 걱정하여 모였는데, 임금 스스로는 무인의 후손으로서 말에서 떨어진 것이 부끄러웠던 모양이다. 그래서 "이거 역사기록에 안 남게 사

관이 모르도록 하라"고 명령했다. 그런데 결과는 어찌 되었는가? 사관이 알았을 뿐 아니라 국왕이 숨기려 했다는 사실까지 낱낱이 다 섞어놓았다. 너무 짓궂은 게 아닌가 싶은데, 한편으로는 조선시대 사관의 기백과 독자성을 엿볼 수 있는 대목이다.

정통관념

동양 사학의 전통에서는 왕조의 정통관념을 중시했다. 특히 여러 나라로 분열된 시기가 많았던 중국에서는 역사서를 편찬할 때 어느 나라를 정통으로 삼을지 결정해야 했다. 편년체編年體로 쓸 때는 여러 나라 가운데 한 나라의 연호를 기준으로 다른 나라의 사실까지 서술했으므로 당연하고, 기전체紀傳體로 쓸 때도 수록 순서를 정하고 연표의 기준이 될 나라를 정해야 하므로 마찬가지였다. 가령 중국의 삼국시대 위魏·오吳·촉蜀 가운데 어느 나라를 정통으로 삼을 것인가 하는 문제다. 우리가 흔히 '삼국지'라 지칭하는 나관중羅貫中의 『삼국지연의三國志演義』에서는 유비劉備가 세운 촉나라를 정통으로 삼았지만, 그에 앞서 서진西晉 때 진수陳壽, 233~297가 편찬한 정사正史 『삼국지三國志』에서는 조조曹操의 아들 조비曹丕가 세운 위나라를 정통으로 삼았다.

정통에 대한 『삼국지』와 『삼국지연의』의 시각 차이는 실질적인 패권을 기준으로 하는가, 모범적인 윤리를 기준으로 하는가에 있다. 실질적인 패권을 쥔 나라를 정통으로 할 때는 '법통法統'을 따른

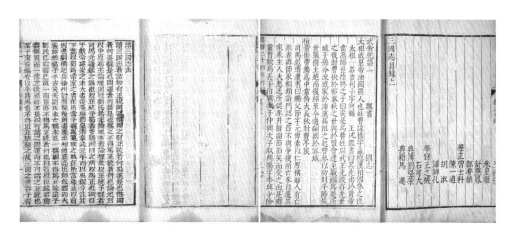

나관중의 『삼국지연의』(왼쪽)와 진수의 정사 『삼국지』
『삼국지연의』는 촉나라를, 『삼국지』는 위나라를 정통으로 삼았다.

다고 했고, 모범적인 윤리를 정통으로 할 때는 '덕통德統'을 따른다고
했다. 위나라를 정통으로 삼은 『삼국지』는 법통을 따른 셈이고, 촉
나라를 정통으로 삼은 『삼국지연의』는 덕통을 따른 셈이다. 유학을
신봉한 중국 역사가들 대다수는 덕통이 법통보다 우위라고 생각했
다. 그에 따라 항우項羽의 초楚나라, 왕망王莽의 신新나라, 남북조 시
기 북조의 북위北魏·북제北齊·북주北周 등은 실질적 패권국이었음에
도 정통으로 여기지 않았고, 반대로 남송南宋은 피난정권에 불과한
데도 정통으로 여겼다. 정사인 『삼국지』에서 위나라를 정통으로 삼
은 것은 편찬자인 진수가 위나라를 이은 서진 사람이었기 때문이라
는 해석이 우세하다.

　우리나라는 중국처럼 여러 나라가 공존한 경우가 많지 않지

만, 삼국시대처럼 복수의 나라가 공존한 시대를 기술할 때는 위와 같은 정통론을 차용했다. 전근대 역사가 대다수는 삼국시대를 정통이 없는 무통無統시대로 보거나 신라를 정통으로 보았는데(삼국통일 이후에는 통일신라를 정통으로 삼는 경향이었음), 근대에 이르러 민족주의 역사가인 신채호가 고구려와 발해를 정통으로 삼아 오늘날 대중의 역사인식에 큰 영향을 끼치고 있다(이와 관련한 문제는 제19장「고구려의 역사·문화는 통일신라를 통해 우리에게 전해졌다: 삼국통일 부정론의 망상」에서 살펴보겠다). 한편 우리나라 초기역사를 검토한 조선시대 역사가 대다수가 위만조선 이후로는 위만조선을 정통으로 삼지 않고 마한을 정통으로 삼았다는 점도 기억할 필요가 있다. 위만衛滿이 찬탈자라는 점과 위만에게 정권을 빼앗긴 (기자조선의) 준왕準王이 남쪽의 한韓, 마한 지역으로 옮겨갔다는 기록을 중시했기 때문이다.

감계와 포폄, 그리고 춘추필법

'감계鑑戒'는 "지나간 잘못을 거울鑑삼아 다시는 그런 잘못을 저지르지 않도록 경계戒한다"는 말이고, '포폄褒貶'은 "옳고 착한 것은 칭찬褒하고 그르고 악한 것은 꾸짖는다貶"는 말인데, 유학을 신봉하는 역사가들이 역사서술의 필수요소로 여긴 것이다. 중국과 우리나라의 사서에 잘했다 못했다 하는 사론史論을 거의 필수적으로 수록한 것도 바로 감계주의와 포폄 원칙에 따른 것이다. 이러한 감계와 포폄 원칙은 사론뿐 아니라 사건의 기술에 적용되기도 했다. 이 원칙들에 위배되면 표현을 고쳐 결과적으로 사건의 내용이 실제 사실과 달라질 때도 있었던 것이다. 이렇게 말하면 앞서 언급한 '직서' 정신에 위배되는 것이 아닌지 반문하는 독자가 적지 않을 터인데, 그것이 전근대 동양 사학 수사법修辭法의 오묘한 특징이었다. 무작정 사실과 다르게 표현한 것은 아니고 나름의 기준이 있었으므로 이를 이해한다면 의문을 어느 정도 해소할 수 있다.

전근대 동양의 역사가가 감계와 포폄을 적용해 표현을 바꾼 것 가운데 다수는 '존왕양이尊王攘夷'와 '정명正名'에 위배되는 기사였다. '존왕양이'는 "왕을 높여 오랑캐를 물리친다"는 의미로 중국 주나라 건국 당시 봉건제 실시의 기초규약이었으며, 이후 근대 이전까지 한·중·일 삼국의 왕권을 떠받드는 이념적 대들보 역할을 한 슬로건이다. 일본에서는 에도막부 말기에 사쓰마, 초슈 등의 번藩들이 '존왕양이'를 내세우며 메이지유신의 기틀로 삼았고 나아가 천황을 신격화하는 토대로 삼는 등 근대에도 유효한 이념이었으므로 한국근대사와 일본근대사를 깊이 공부하고 싶은 독자라면 반드시 기억해 둘 필요가 있다.

'정명'은 "이름을 바르게 한다, 이름에 걸맞게 행한다"는 뜻으로 공자가 창시한 유학사상의 알맹이에 해당하는 것인데, 쉽게 설명하면 군군신신부부자자君君臣臣父父子子, 즉 임금은 임금답고 신하는 신하답고 아비는 아비답고 아들은 아들다워야 한다는 것이다. 이는 춘추필법[3] 가운데 하나로, 이에 따라 표현을 달리한 대표적인 예로 춘추시대 두 번째 패자霸者인 진 문공晉文公이 기원전 632년에 온溫 땅에

중국 춘추시대의 사상가 공자
공자는 유교의 '오경(五經)' 가운데 하나인 『춘추』
를 엮었다. 『춘추』에는 공자의 정명(正名)과 직서
(直書) 사상이 반영되었다.

서 제후들을 불러 모아 회합하고 사냥한 것을
꼽는다. 당시 진 문공은 천자天子인 주나라 양
왕襄王도 불렀다. 들러리로 부른 깃이다. 공자
는 『춘추春秋』를 편집하면서 이에 대한 종래의
기록이 불경하다고 여겨 "진晉나라, 송宋나라,
채蔡나라, 정鄭나라, 진陳나라, 거莒나라, 주邾
나라, 진秦나라 제후들이 온 땅에서 회합을 가
졌다. 천자가 하양河陽 땅으로 사냥을 나갔다"
고 고쳐 썼다. 쉽게 말해 공자는 '제후 주제에
천자를 부르고 천자가 제후에게 불려 가다니⋯
임금이 임금답지 않고 신하가 신하답지 않다'
고 여겨 고쳐 쓴 것이다. 온과 하양은 같은 지
역인데, 표현을 달리하여 제후들의 회합과 천
자의 사냥이 별개의 일처럼 묘사한 것이다.

　　　이러한 정명논법은 우리나라에서는 유교
를 국교로 삼은 조선시대 역사서에 주로 등장
하는데, 필자가 고려시대에 편찬된 『삼국사기』에서 정명논법에 따
라 사실과 달리 표현한 사례를 하나 찾아 학계에 보고한 것이 있다.
의자왕이 항복하는 과정을 서술한 부분이다. 『삼국사기』 태종무열

3＿＿＿＿ 춘추필법: 공자가 편찬한 『춘추』에서 비롯된 동양의 역사서술 수사
법으로, 정명과 직서 등을 이른다.

왕 7년조에서는 "(660년 7월) 18일에 의자(왕)가 태자 및 웅진방령군 등을 거느리고 웅진으로부터 와서 항복했다"고 서술한 반면, 중국 기록인 『구당서』 소정방전에서는 "그 대장군 예식이 또 의자(왕)를 데리고 항복해 왔다"고 서술한 차이가 있다. 의자왕은 나당연합군이 처들어오자 측근만 데리고 사비성을 나와 웅진성으로 도피했는데, 『삼국사기』를 따르면 사비성 함락 소식을 들은 의자왕이 웅진성의 군대를 거느리고 사비성으로 와서 스스로 항복한 셈이 되고, 중국 기록을 따르면 이미 대세가 기울었다고 생각한 웅진방령 예식이 의자왕을 사로잡아 나당연합군에게 바치면서 항복한 셈이 된다.

이에 대해 종래에는 어느 것이 사실과 부합하는지 논란이 있었는데, 중국에서 2006년에 「예식진 묘지명」이, 2010년에 「예인수예식진의 손자 묘지명」이 출토되어 『구당서』 소정방전의 "그 대장군 예식이 또 의자를 데리고 항복해 왔다"는 서술이 사실과 부합하고, 『삼국사기』의 서술은 주객이 바뀌었다는 해석이 확정되었다. 이에 대해 대다수 연구자는 『삼국사기』의 서술이 착오라고만 해석했는데, 필자가 보기에 이는 『삼국사기』의 찬자가 신하인 예식진이 국왕을 데리고 왔다는 서술이 불경스럽다고 여겨 춘추필법의 정명논법에 따라 주객을 바꾼 것이다. 일부 연구자와 아마추어 역사가들은 이러한 사실을 무시하거나 간과하고 여전히 『삼국사기』의 내용만 취해 의자왕이 스스로 항복한 것으로 설명하는데, 『삼국사기』를 편찬할 때 춘추필법의 정명논법을 적용한 것을 몰랐거나 깜빡한 때문이다.[4]

춘추필법과 관련하여 '미언대의微言大義'라는 용어도 알아둘 필요가 있다. '미언微言'은 "뜻이 깊은 말 또는 미묘한 말"이라는 뜻으로, '미언대의'는 역사적 사건이나 인물에 대해 간결한 문장의 숨은 뜻을 통해 자신의 의지를 표현하는 방식을 말한다. 춘추필법과 미언대의는 전근대 유학자들도 명확히 설명하기 쉽지 않았을 정도로 심오하므로 역사공부 초심자가 정확히 이해하기는 어렵지만, 전근대 동양 사학의 중요 논점이므로 맛보기 정도는 해 둘 필요가 있다.

　미언대의의 방식 가운데 하나로 적대적인 나라나 사람의 이름을 같은 발음의 다른 글자, 특히 짐승과 관련된 글자로 의도적으로 바꾸어 쓰는 것이 있었다. 예를 들어 영국의 가차자 표기는 영길리英吉利인데, 아편전쟁 시기의 중국 문헌에는 '영英' 자의 왼쪽에 입구口변을 붙여 쓴 것이 자주 등장했다. 입구변은 짐승을 의미한다. 명나라 이후 중국인들은 포르투갈을 불랑기佛郎機라고 표기했는데, 포르투갈 사람이 중국에서 나쁜 짓을 저지르면 '사내 랑郞' 대신 '이리 랑狼'을 썼다. 단어 하나를 바꿈으로써 적대감을 드러낸 것인데, 이를 통해 저자가 그 대상을 어떻게 바라보았는지 읽어낼 수 있다.[5]

4＿＿＿ 이에 대해서는 필자의 논문「서평: 『삼국통일 어떻게 이루어졌나』－이도학 저, 학연문화사, 2018－』『한국고대사탐구』30(2019) 및 「백제멸망기 '태자' 문제 보론(補論)」『북악사론』15(2022)에서 자세히 검토했다.

5＿＿＿ 주변국(특히 오랑캐)의 국명을 쓸 때 원래 명칭대로 쓰지 않고 멸시의 표시로 개사슴록변(犭, 서쪽 오랑캐의 이름)이나 갖은돼지시변(豕, 먹이를 덮치는 짐승의 모습) 같은 것을 붙여 쓰는 것은 중국인들의 상투적 표현이다. 우리나라와 관련해서는 중국 정사에서 高句麗(고구려)를 표기할 때 말마변(馬)을 붙여 '高句驪'라고 쓴 것이 대표적이다. '麗'는 '곱다, 수려하다'는 뜻이고, '驪'는 '검은 말'이라는 뜻이다.

술이부작, 무징불신, 불어괴력난신

'술이부작述而不作'은 "서술할 뿐 지어내지 않는다"는 뜻이고, '무징불신無徵不信'은 "증거가 없으면 믿지 않는다"는 뜻이고, '불어괴력난신不語怪力亂神'은 "괴이怪異·용력用力·패란悖亂·귀신鬼神은 말하지 않는다"는 뜻으로 초인간적인 이야기를 멀리한다는 의미다. 모두『논어』에 나오는 말인데, 중국과 우리나라의 전근대 사가들, 특히 유학을 신봉하는 사가들은 역사를 서술할 때 이 원칙을 철저히 지켰다.

다-1. 술이부작: **"전한 바를 서술할 뿐이고, 새로운 것을 창작하지 않으며, 옛 것을 믿고 좋아하니, 속으로 나를 노팽에게 비기는 바다**述而不作 信而好古 竊比 於我老彭**."** ___『논어』팔일편

다-2. 무징불신: **"하나라의 예는 내가 말할 수는 있지만 (그 후예인) 기나라로 서는 실증하기에 부족하며, 은나라의 예 또한 내가 말할 수는 있지만 (그 후예 인) 송나라로서는 실증하기에 부족하다. 문헌자료와 현명한 자들이 부족하기 때문이다. 이것들이 충분하다면, 내가 실증해 낼 수 있을 텐데**夏禮 吾能言之 杞 不足徵也. 殷禮 吾能言之 宋不足徵也 文獻不足故也. 足則吾能徵之矣**."** ___『논어』술이편

다-3. 불어괴력난신: **"공자께서는 괴이한 일, 힘쓰는 일**용력**, 도리를 어지럽 히는 일**패란**, 귀신에 대해서는 말씀하시지 않으셨다**子不語怪力亂神**."**

___『논어』술이편

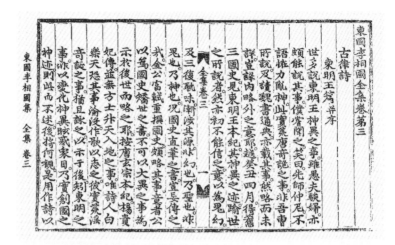

이규보의 「동명왕편」 서문

이규보는 동명왕 이야기가 괴력난신이 아니라고 보았다.

　　이 가운데 특히 '불어괴력난신'은 우리나라 전근대 사학사史學史
의 중요논점 가운데 하나다. 『삼국사기』와 「동명왕편」·『삼국유사』
의 저술기준에서 '불어괴력난신'의 이행 여부 차이가 있기 때문이
다. 관찬사서인 『삼국사기』에서는 공자가 괴력난신을 말하지 않았
던 것을 따랐으나, 사찬사서인 「동명왕편」과 『삼국유사』에서는 그에
반대하는 입장을 표하면서 『삼국사기』에서 고쳐 쓰거나 삭제한 신
이한 기사들을 되살려 놓았다. 이에 대한 구체적 사례는 제18장 「김
부식과 『삼국사기』에 대한 몇 가지 오해」에서 자세히 살펴볼 것이므
로, 이 장에서는 「동명왕편」과 『삼국유사』 서문의 입장표명을 직접
살펴보고 마무리하도록 하자. 이규보李奎報, 1168~1241는 『구삼국사舊
三國史』에 보이는 동명왕의 이야기가 괴력난신이 아니므로 「동명왕

편」을 저술함이 유학자의 본분에서 벗어나지 않는다고 주장했고, 일연一然, 1206~1289은 공자가 괴력난신을 말하지 않는 바가 있었지만 중국의 건국시조들의 이야기를 살펴보면 신이神異한 이야기들이 무수히 많으므로 "(우리나라) 삼국의 시조가 모두 신이한 데서 나왔다고 하여 무엇이 괴이하겠는가?"라고 하면서『삼국유사』를 저술함에 신이한 이야기를 당당히 쓰겠다고 선언했다.

라-1. 세상에서는 동명왕東明王의 신통하고 이상한 일을 많이 말하니, 비록 시골의 어리석은 남녀들도 자못 그 일을 말할 수 있을 정도다. 내가 일찍이 그 얘기를 듣고 웃으며 말하기를, "선사先師 중니仲尼, 공자께서는 괴력난신怪力亂神에 대해 말씀하지 않으셨으니, 동명왕의 일은 실로 황당하고 기괴하여 우리들이 얘기할 것이 못 된다"고 하였다. … 지난 계축년1193 4월에『구삼국사舊三國史』를 얻어 동명왕본기東明王本紀를 보니 그 신이한 사적이 세상에 전하는 것보다 더하였다. 그러나 처음에는 믿지 못해 귀신이나 환상으로만 여겼는데, 세 번 반복하여 읽어 점점 그 근원에 들어가니, 환상이 아니고 성스러움이며 귀鬼가 아니고 신神이었다. 하물며 국사國史,『구삼국사』를 지칭한 듯함는 사실 그대로 쓴 글이니 어찌 함부로 전하였겠는가. 김부식 공은 국사『삼국사기』를 다시 편찬할 때에 자못 그 일을 생략했으니, 공은 국사란 세상을 바로잡는 글이므로 크게 이상한 일은 후세에 보일 것이 아니라고 여겨 생략한 것이 아니겠는가? ___「동명왕편」서문

라-2. 무릇 옛날의 성인이 바야흐로 예악禮樂으로 나라를 일으키고 인의仁義

로 가르침을 베풂에 있어 '괴력난신怪力亂神'은 말하지 않는 바가 있었다. 그러나 제왕이 장차 일어날 때는 부명符命, 하늘이 제왕이 될 사람에게 내리는 표에 응하고 도록圖錄, 미래의 길흉을 예언하여 기록한 책, 도참과 같은 말을 받았으므로 반드시 보통사람과는 다른 점이 있었다. 그런 후라야 능히 큰 변화를 타서 제왕의 지위를 얻고 대업을 이룰 수 있었던 것이다. 그런 까닭에 하수河水, 황하에서 하도河圖가 나오고 낙수에서 글이 나와서 성인이 일어났던 것이다. 무지개가 신모神母를 둘러싸 복희伏羲를 낳았고, 용이 여등女登에게 감응하여 염제炎帝를 낳았고, ··· 이를 어찌 다 기록할 수 있겠는가? 그런즉 (우리나라) 삼국의 시조가 모두 신이神異한 데에서 나왔다고 하여 무엇이 족히 괴이하겠는가? 이 기이紀異편으로 (이 책의) 여러 편을 무젖게 하는 까닭은(이 기이편을 첫머리에 싣는 까닭은) 그 뜻이 바로 여기에 있다. ___「삼국유사」 기이편 서왈(叙曰)

12 / 일제 식민사학과 그 영향

식민사학의 형성배경과 '우리 안의 식민사관'

이제부터는 우리나라에 근대역사학이 도입되고 전개되는 과정에 대해 살펴보자. 근대역사학의 방법에 의한 한국사 연구는 일본인들이 먼저 시작했다. 앞서 소개했듯이 일본은 서구의 근대역사학을 배워 황국사관을 정립하고 그에 복무할 연구자들을 양성하고자 1887년 동경제국대학에 랑케의 제자 리스^{Riess}를 주임교수로 초빙해 사학과를 개설했는데, 주목할 점은 일본사뿐 아니라 한국사 연구자 양성에도 큰 힘을 기울였다는 것이다.

일본이 한국사를 일본사 못지않게 연구하고자 한 것은 이 시기에 갑자기 생긴 경향이 아니라 에도막부 시기 국학國學운동이 일어나던 때부터의 일이었다. 국학운동은 일본 고유의 문화와 정신을 찾으려는 국수주의國粹主義적 학문경향으로, 역사 분야에서는『고사

정한을 논의하는 장면 (스즈키 토시모토, 1877)
정한론은 메이지유신 이후에는 '동양평화', 만주사변 이후에는 '대동아공영'이라는 탈을 쓰고 미화되었다.

기』와 『일본서기』의 내용에 크게 주목했다. 『일본서기』에는 신공神功, 진구황후가 신라를 정벌했다거나 가야 지역에 임나일본부를 설치해 지배했다거나 하는 거짓역사가 많이 수록되어 있는데, 일본의 국학자들은 그것을 사실로 받아들여 한국이 고대에 일본의 식민지라 여기고 큰 관심을 가졌다. 즉 한국에 대한 우호적인 감정에서 우러난 관심이 아니라 한반도가 자신들의 고토故土라 여긴 데서 생긴 관심이었던 것이다. 그에 따라 막부 말기에 이르러서는 **조선을 정벌하여 고대의 '그 찬란한 역사'를 재현하자는 목소리를 공공연히 내기 시작했다. 이른바 '정한론征韓論' 또는 '정조론 征朝論'이다.**

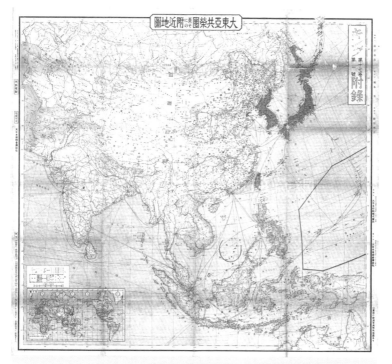

일본에서 제작된 대동아공영권 지도 (1941)
'대동아공영'은 동아시아가 함께 번영하자는 뜻이지만 일제의 침략 논리였다.

'정한론'은 말 그대로 침략론이다. 그런데 '정한론'은 메이지유신 이후에는 '동양평화', 만주사변 이후에는 '대동아공영大東亞共榮'이라는 탈을 쓰고 미화되었다. '동양평화론'의 표면적인 논지는 일본의 선도로 아시아가 연대하여 서구의 침략을 막고 동양의 평화를 보전하자는 것이고, '대동아공영'은 동아시아가 함께 번영하자는 것이다. 하지만 그들의 계획을 구체적으로 살펴보면 역시 '정한론'과 같은 침략의 논리가 될 수밖에 없는 것이었다. '동양평화'의 목소리를 낸 이들 대다수는 일본은 이미 선진·강대국의 대열에 들어섰고 그 밖의 아시아 나라들은 후진·약소국에 머물러 있으므로 연대를 위해서는 이들을 병합 또는 지배하는 것이 선행되어야 한다는 생각을 했다. 슬로건으로 내건 '평화'와 '공영'은 말뿐이었던 것이다.

주목할 것은 '연대', 즉 실제로는 '피지배'의 대상 국가인 조선의 정치·사회 주도층에게도 이러한 거짓 '평화'와 '번영'의 외침이 일부 먹혀들었다는 점이다. 이른바 친일파들인데, 이들이 남긴 말이나 글에는 약자인 우리가 강자인 일본에 돌라붙어야 평화를 유지하고 번영할 수 있다는 외침이 적지 않다. 문제는 그것이 생존을 위한 가식이 아니었다는 점이다. 친일파들은 해방이 되자 "살아남기 위해 친일을 할 수밖에 없었다"거나 "민족이 일제의 핍박을 적게 받게 하기 위해 오명을 자처했다"고 변명했지만, 실제로는 '동양평화'와 '대동아공영'을 철석같이 믿었거나 자신의 출세를 위해 친일에 앞장선 이가 대다수였다.[1]

흔히 '친일파'라 하면 나라와 민족을 팔아먹을 일념으로 산 사람으로 상상하기도 하지만, 사실 친일파 가운데 거두巨頭는 대다수가 처음에는 민족지도자 노릇을 하던 사람이다. 필자는 이 주제를

[1] _____ '동양평화론'과 '대동아공영론'이 필연적으로 침략의 논리가 될 수밖에 없었던 까닭과 구한말 우리가 이러한 일본의 태도를 어떻게 인식했는가에 대해 좀 더 자세하게 공부하고 싶은 독자에게는 친일파 연구의 선구자 임종국 선생이 편저한 『친일논설선집』(실천문학사, 1987) 해제(13~26쪽)를 권한다.

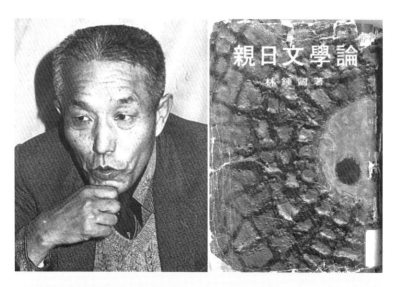

친일파 연구의 선구자 임종국과 그가 쓴 『친일문학론』(평화출판사, 1966)
임종국은 시인·평론가였지만 친일반민족행위자 연구에 평생을 바친 역사학자이기도 하다.

강의할 때마다 학생들의 이해를 돕기 위해 "만약에 일제강점기 같은 상황이 온다면 나 같은 사람은 친일파가 되겠습니까? 안 되겠습니까?" 하고 물어본다. 학생들은 매번 배시시 웃으며 "절대로 친일은 안 하실 것 같습니다"라고 한다. 아마도 "친일파가 될 것 같습니다"라고 답하고 싶지만 그랬다가는 선생인 필자에게 미운털이 박힐까 싶어 낯 뜨거운 아부를 하는 것이 아닐까 싶다. 필자는 "어릴 때는 절대로 친일파가 안 되고 독립운동가가 될 자신이 있었어요. 그런데 독립운동가들이 잡혀서 고문당한 이야기를 들어보니 그게 참 쉽지 않겠더라고요. 거꾸로 매달아 코로 뜨거운 물을 붓고, 손톱에 바늘을 넣고, 밥 굶기고… 어휴! 생각만 해도 끔찍하잖아요. 매질을 하면 어찌어찌 한두 대는 참을 수 있겠는데 세 대 맞으면 나는 아마 안 물어 본 것도 다 불지 싶어요. 하지만 대학강사인 나 같은 사람은 친일을 하더라도 일본 순사 앞잡이 정도는 몰라도 언감생심 친일파 거두 대열에는 못 낍니다. 친일파 거두가 되려면 장관이나 국회의 원이나 국립대학 총장쯤 되어야 합니다" 하고 말해준다.

그러면 이쯤 되는 사람들이 가식이 아니라 본심으로 친일을 한 이유는 무엇일까? 그러한 사상적 토대를 놓은 것이 앞서 소개한 '동 양평화론'과 '식민사학'이다. 일제가 조선을 항구적으로 지배하기 위해 창안한 식민사학의 논리는 여러 가지가 있는데, 대체로 ① 일 선동조론日鮮同祖論 ② (조선역사의) 타율성론他律性論 ③ (조선역사의) 정 체성론停滯性論 세 가지로 요약할 수 있다.

'일선동조론日鮮同祖論'은 일본과 조선의 조상이 같다는 주장으로 '동조동근론同祖同根論'이라고도 한다. 이 이론(?)은 에도막부 시기 국 학자들의 시각 및 막부 말기 정한론과 밀접한 관련이 있다. 1901년 동경제국대학 교수들이 저술한「국사안國史眼」(이후 일본사 교육의 저본 으로 활용)에서 구체적으로 언급되기 시작하여 조선 강점 이후 기다 사다키치喜田貞吉, 1871~1939의 '일한양민족동원론'으로 발선했고, 만 주사변 이후에는 조선인을 전쟁에 동원하기 위해 **'내선일체 內鮮一體, 일본을 내지(內地)로 표현하여, 일본과 조선이 일체라는 주장'**의 슬로건으로도 표현 된 것이다. 구체적 내용을 살펴보면 일본의 신神이 한국의 신을 지 배했다거나 일본 신의 후손이 한국 신이 되었다는 주장이지만, 표면상으로는 일본과 조선이 같은 조상에서 출발했으므로 친근 관계가 있다는 식으로 포장하여 조선에 대한 침략을 용이하게 하고 나아가 조선인을 자신들의 전쟁에 쉽게 동원하고자 하는 정치적 술책이었다. 즉 일본인들에게는 '뿌리가 같은' 조선과의 '통일'을 적극 지지하게 하고, 조선인들에게는 일제의 침략이 민족 내 왕조교체와 별반 다를 바 없으므로 독립운동 같은 것은 할 필요가 없고 오히려 일본을 위해 목숨을 바쳐야 한다는 생각을 갖게 하려는 속셈이었다.

'타율성론他律性論'은 한국의 역사가 자주적인 역량으로 전개된 것이 아니라 북쪽의 중국·몽골 등과 남쪽의 일본 같은 외세의 간섭 또는 영향에 힘입어 타율적으로 이루어졌다는 주장이다. 고조선은 기자와 위만 같은 중국인 이주민에 의해 역사가 시작되어 한漢나라 무제武帝가 보낸 군대에 멸망당했으므로 처음부터 끝까지 중국의 식민지였고, 남쪽의 신라와 가야는 '신공진구황후의 정벌'과 '임나일본부 설치'를 당했으므로 일본의 식민지였다는 것이 주요 내용이다. 즉 조선은 고대부터 다른 나라의 식민지였으므로 일본의 지배를 받는 것이 전혀 이상할 것이 없다는 논리다. 일선동조론에서는 단군이 일본의 건국신建國神인 아마테라스 오오미가미天照大神의 후손 혹은 아우라고 주장하기도 하는데 타율성론에서는 단군의 존재를 부정한다.

이처럼 타율성론은 너무도 조잡한 주장이지만, 지리적 환경결정론이라는 옷을 입고 학문의 모습으로 행세하면서 나름의 설득력을 갖추기 시작했다. 지리적 환경결정론은 말 그대로 지리적 환경이 역사에 미치는 영향이 크다는 학설인데, 오늘날에는 동의하는 학자가 많지 않지만 과거에는 과학이론처럼 여겨져 한동안 유행했던 이론이다. 일제 식민사가들이 한국사에 적용한 환경결정론은 '반도적 성격론'인데, 한국은 대륙의 끄트머리에 혹처럼 붙어 해양과 맞닿아 있는 반도이므로, 대륙세력과 해양세력 양쪽의 핍박을 받을 수밖에 없고 실제로도 그렇게 역사가 전개되었다는 주장이다. 이에 대해서는 일찍이 이기백李基白, 1924~2004 교수가 반도에서 제국으로 성장한 로마나 스페인의 사례를 들어 적확히 반론한 바 있다. 구체적으로 공부하고 싶은 독자에게는 『한국사 시민강좌』 1집일조각, 1987에 수록된 이기백 교수의 「반도적 성격론」을 권한다.

이와 관련하여 1980~1990년대에 중고등학교를 다녔던 독자들은 역사나 지리 또는 국어 선생님들이 우리의 지리적 환경을 로마와 비교하여 우리민족도 언젠가는 대제국을 건설할 것이라고 예언(?)한 것이 떠오를 것이다. 당시엔 가슴 뿌듯해지는 말씀이었는데, 알고 보니 사실 이는 이기백 교수의 반론을 잘못 이해한 것이다. 이기백 교수는 로마나 스페인의 사례를 들어 '반도적 성격론'의 비합리성을 구명한 것인데, 로마처럼 우리도 대제국을 건설할 수 있다는 것은 논지를 벗어난 엉뚱한 상상이기 때문이다. 이는 반도의 특성을 일제 식민사학자들과 정반대로 해석했을 뿐 여전히 지리적 환경결정론에 빠져 있는 데서 나온 주장이다.

'정체성론停滯性論'은 서양이나 일본의 역사가 고대노예제사회에서 중세봉건제사회를 거쳐 근대사회로 이행된 반면, 조선은 봉건사회

에 이르지 못한 채 그대로 고대사회에 머물러 있
다는 주장이다. '일선동조론'과 '타율성론'이 조
잡한 이론인 데 반해, 이 주장은 근대역사학의
시대구분과 진보사상에서 비롯된 것이므로(구
체적으로는 마르크스·엥겔스의 역사이론이다) 나름
그럴싸한 면이 있고, 따라서 일제강점기부터
오늘날까지 '자본주의 맹아론'과 '식민지 근대
화론' 등의 심도 깊은 논박이 있었다. 이에 대
해서는 제13장 「한국사 정체성론'과 그 영향:
마르크스의 내재적 발전론과 정체성론에 대
한 이해를 중심으로」에서 자세히 살펴보겠다.

역사학자 이기백
식민사관에 맞서 민족사학을 개척하고 한국사의
대중화에 힘썼다. 대표작 『한국사신론』(1967)은
한국사 분야의 대중 교과서로 널리 읽혔다.

유사역사사이비역사의 창작과 전파를 주도하는 한 유명한 역사평
설가는 이러한 식민사학이 해방 후 서울대에서 교편을 잡은 이병도
李丙燾, 1896~1989 교수를 거쳐 현재까지도 대학 교수들과 연구자들에
게 계승되고 있다는 주장을 거듭한다. 식민사학의 카르텔이 형성되
어 있다는 주장인데, 이런 주장을 집대성(?)하여 책을 출간하면서
제목을 '우리 안의 식민사관'이라고 붙였다.

하지만 실제로 식민사학의 논리에 빠져 있는 사람들은 연구자
들이 아니라 유사역사를 만드는 사람들과 그에 경도된 부류들이다.
일본 천황 일가와 관련한 인터넷 신문기사에는 어김없이 '백제 후
손'을 운운하는 댓글이 많이 등장하는데, 어떤 사람들은 일본의 우

익 정치인들이 우리나라에 적대적인 발언을 서슴지 않는 데 비해 천황은 비교적 온건한 태도를 보이는 것이 백제의 후손이기 때문이라고 강조하기도 한다. 하지만 이는 우리가 위냐 일본이 위냐 하는 것만 정반대일 뿐 일제 식민사학의 '일선동조론' 또는 '동조동근론'과 같은 맥락이다. 단순히 혈연관계만 확인하는 차원이 아니라, 백제 왕의 후예가 일본의 천황이 되어 지금까지도 이어져오고 있으므로 일본 전체가 우리 것이라는 허튼 상상을 하고 있기 때문이다.

일본 천황가가 백제의 후손이라고 주장하는 유사역사가들이 강조하는 것은 아키히토明仁 천황이 2001년 12월 기자회견에서 "… 저 자신으로서는 환무桓武, 칸무 천황의 생모가 백제 무령왕의 자손이라고 『속일본기』에 기록되어 있는 점에서 한국과의 인연을 느끼고 있습니다. 무령왕은 일본과 관계가 깊었고, 이때 이래로 일본에 오경박사가 대대로 초빙되기에 이르렀습니다. 또한 무령왕의 아들 성명왕(성왕)은 일본에 불교를 전해준 것으로 알려져 있습니다"라고 한 발언이다. 하지만 이 발언은 2002년 한·일월드컵 공동개최를 몇 달 앞둔 시점에서 양국의 신뢰 회복과 협력을 제안하는 취지에서 한 일종의 '립서비스'일 뿐 큰 의미가 있지 않다. 일본 천황가의 모계 가운데 한 사람이 백제왕의 후손인 점[2]을 토대로 천황가가 백제 후손이

2_____ 『속일본기』에 따르면 환무천황(재위: 782~806)의 아버지는 광인(光仁)천황(재위: 770~781)이고 어머니는 화을계(和乙繼)의 딸 화신립(和新笠, ?~789)인데, 이 화을계는 무령왕의 아들인 순타(純陀, ?~514)가 왕족 외교의 일환으로 왜에 건너가서 낳은 자식의 후손이다.

라고 강조한다면, 원元나라몽골 간섭기 이후 고려 국왕은 대를 이어 원나라 공주와 혼인했으므로 아예 몽골인이라고 해도 할 말이 없다.

또한 한국고대사 관련 서적의 베스트셀러 순위를 살펴보면, 상위권은 고조선이 대륙을 경영했다든가, 고구려·백제·신라가 한반도에 있지 않고 대륙에 있었다고 상상하는 유사역사학 도서들이 대다수를 점유하고 있다. 세상에는 별의별 사람이 있고 출판의 자유가 헌법으로 규정되어 있으니 그런 책이 출간될 수도 있겠지만, 그것이 수준 높은 연구서나 교양서를 제치고 불티나게 팔리는 것은 다소 의아한 현상이다. 사실 고조선이 대륙을 경영했다거나 고구려·백제·신라가 대륙에 있었다는 주장은 일제 식민사학의 '반도적 성격론'을 믿은 데서 나온 것이다. 유사역사가들과 그에 열광하는 독자들은 우리가 조상 대대로 반도에서 살았던 것이 부끄럽다고 생각하기 때문에 우리 역사를 대륙에다 옮겨놓고 뿌듯해하는 것이다. '우리 안의 식민사학'은 바로 이런 데 있다.[3]

---

3 _____ 고조선이 대륙을 경영했다거나 고구려·백제·신라가 한반도에 없었다는 식의 상상이 일제 식민사학의 반도적 성격론과 같은 맥락에서 나왔다는 점에 대해서는 '젊은역사학자모임'에서 출간한 『한국고대사와 사이비역사학』(역사비평사, 2017)에 수록된 기경량 교수의 「사이비역사학과 역사파시즘」 및 강진원 교수의 「식민주의 역사학과 '우리' 안의 타율성론」에서도 자세히 지적한 바 있다.

13 / '한국사 정체성론(停滯性論)'과 그 영향

마르크스의 내재적 발전론과 정체성론에 대한 이해를 중심으로

앞 장에서 일제가 조선 지배를 공고히 하려고 창안한 식민사학의 논리들인 ① 일선동조론日鮮同祖論 ② (조선역사의) 타율성론他律性論 ③ (조선역사의) 정체성론停滯性論 세 가지를 소개하면서 '정체성론'에 대해 이번 장에서 좀 더 깊이 살펴볼 것을 예고한 바 있다. 기존 역사학 책에서는 이에 대한 반론을 설명하는 데 치중하고 있는데, 이 장에서는 학술적으로 자세한 논박은 관련 논저에 미루고 '정체성론'이 무엇을 바탕으로 한 이론인가 하는 것을 중점적으로 살펴보고자 한다. 필자의 수강생들로부터 정체성론이 무엇인지 제대로 이해하지 못하고 강의를 받아 적어 외우는 데만 치중해 얼마 지나지 않아 곧잘 잊어 먹는다는 말을 자주 듣고 있기 때문이다.

앞서 살펴본 바와 같이 일선동조론과 타율성론은 오늘날에는 더 이상 논란거리가 안 될 정도로 조잡하다는 것이 밝혀졌다. 반면 '정체성론'은 서양의 역사학과 경제학 이론을 바탕으로 하고 있어 매우 난해하면서도 일견 그럴듯한 면도 있어 오늘날에도 옳고 그름을 두고 논박이 지속되고 있다. 후술하겠지만 2019년 『반일종족주의』미래사의 출간을 주도하여 많은 사람의 찬사(?)와 공분을 불러일으킨 (전)서울대 경제학과 교수이자 (현)낙성대 경제연구소 연구원인 이영훈의 학문적 바탕도 바로 이 '(한국사) 정체성론'에 있다.

'정체성'이라고 하면 대개 "어떤 존재가 본질적으로 가지고 있는 특성", 즉 '정체성正體性'을 먼저 떠올리지만, **여기에서 말하는 정체는 "어떤 일이나 상황 따위가 더 진전되지 못하고 일정한 범위나 수준에 그치거나 머물러 있는 것", 즉 '교통정체' 같은 용례에서 쓰는 '정체停滯'다.** 필자가 담당했던 한국사 수업의 시험에서 "일제 관학자들의 한국사 연구와 식민사학을 쓰시오(타율성론, 정체성론, 일선동조론을 중심으로)"라는 문제를 냈더니 한 학생이 "한국인들은 정체성이 없이 타율성에 젖어 있어 일선에 동조한다는 식민사학이다"라는 답을 쓴 적이 있었다. 필자가 순간 깜빡 속아 부분점수를 주어야 하는지 잠시 고민했을 정도로 매끄럽게 조합한 답안인데, 이 학생역시 '정체성正體性'을 떠올렸던 모양이다.

역사학의 기초지식을 공부한 독자들은 "진전되지 못하고 머물러 있는 것"이라는 정의에서 '정체성론'이 역사학의 시대구분과 역사가 진보한다는 생각진보사관과 관련이 있음을 눈치 챘을 것이다.

'시대구분'은 역사학의 중요 논제 가운데 하나이지만, 역사가가 방대한 과거 역사를 좀 더 명료하게 이해하고 설명하기 위해 '편의상' 분류하는 것에 불과하다. 역사연구와 인식을 위한 하나의 수단으로 유용하지만 절대적인 것이 아니라 상대적 가치만 갖는다. 그런데 19세기 이후 시대구분은 마르크스주의 유물사관의 ① 역사는 과학이다 ② 역사는 진보한다 ③ 역사에는 합법칙성이 있다는 시각들과 맞물려 절대적인 것처럼 인식되기 시작했고, '과학적이고 합법칙적인 진보'가 뚜렷이 나타나지 않는 사회는 정체된 특수성을 가진 사회로 인식되면서 '정체성론'이라는 괴물이 등장했다.

서양 사학사에서는 르네상스 시기인 17세기에 인문주의 역사학자들이 역사를 생生−사死−부활復活의 세 시기로 나눈 후 고전고대그리스·로마는 생으로, 중세는 사로, 자신들이 살고 있는 근세는 고전고대의 부활로 선언한 것을 본격적인 시대구분의 시작으로 꼽는다. 이러한 '고대 − 중세 − 근세근대'의 3단계 시기구분은 시대구분의 정형이 되었는데, 19세기에 들어와 마르크스Marx와 엥겔스Friedrich Engels, 1820~1895가 '노예제 − 봉건제 − 자본주의'라는 3단계 사회구성체 분류와 접목해 '고대노예제사회 − 중세봉건제사회 − 근대자본주의사회'라는 형식을 만들어 냈고, 나아가 고대노예제사회 앞에 원시공동체사회를, 근대자본주의사회 뒤에 공산주의사회를 붙여 5단계로 시대구분을 했다.

마르크스는 고대노예제사회에서 중세봉건제사회로, 중세봉

건제사회에서 근대자본주의사회로의 전환이 필연이었다고 이해하고, 이를 바탕으로 근대자본주의사회에서 '다가올' 공산주의사회로의 전환도 필연이라고 주장하면서, 그 전환의 동인動因으로 '내재적 발전'과 '계급투쟁'을 꼽았다. '계급투쟁'에 대해서는 "지금까지의 모든 사회의 역사는 계급투쟁의 역사다"라는 마르크스의 『공산당 선언』 첫 문장이 워낙 유명하므로, 무슨 뜻인지 잘 몰라도 익숙하다. 반면 '내재적 발전'은 마르크스 경제학 이론의 핵심임에도 그다지 잘 알려져 있지 않다. 필자의 역량으로 그것을 온전히 전달하기는 어렵지만, 수박 겉핥기로 요점만 설명하면 이러하다.

마르크스는 『공산당 선언』에서 자본주의사회의 전복을 기도하고 독려하기 위해 책 제목에 걸맞게 서두에서 "지금까지의 모든 사회의 역사는 계급투쟁의 역사다"라고 먼저 선언한 후 계급투쟁이 일어났던 까닭으로 '생산관계의 변화'와 '새로운 사회계급의 등장' 등을 서술했다.[1] 서술순서가 도치되어 있는데, 마르크스는 노예제사회에서 봉건제사회로, 봉건제사회에서 자본주의사회로 전환된

---

1 _____ 마르크스가 말한 '생산관계'라는 것은 생산력의 일정한 발전단계에 대응하는 사회관계인데, 그 관계는 그 사회의 주된 생산수단을 소유한 자(자유민, 귀족, 영주 같은 억압자)와 소유하지 못한 자(노예, 평민, 농노 같은 피억압자) 사이의 계급관계로 표현된다. "지금까지의 모든 사회의 역사는 계급투쟁의 역사다. 자유민과 노예, 귀족과 평민, 영주와 농노, 동업 조합의 장인과 직인, 요컨대 서로 영원한 적대 관계에 있는 억압자와 피억압자가 때로는 은밀하게, 때로는 공공연하게 끊임없는 투쟁을 벌여 왔다. 그리고 이 투쟁은 항상 사회 전체가 혁명적으로 개조되거나 그렇지 않으면 투쟁하는 계급들이 함께 몰락하는 것으로 끝났다. …"(『공산당 선언』 서두)

카를 마르크스와 『공산당 선언』 초판(1848) 표지
마르크스는 자본주의사회 이후 공산주의사회가 필연적으로 도래한다고 보았다.

원인이 무엇인가 하는 스스로의 질문에 대해, 생산관계가 변화하여
등장한 새로운 사회계급이 기존의 사회계급과 계급투쟁을 벌여 사
회를 '혁명적으로 개조'하여(개조하지 못하면 함께 몰락) 새로운 다음 사
회로 이행된다는 해석을 한 것이다.

　마르크스는 봉건제사회에서 자본주의사회로의 전환과정을 예
로 '혁명적 개조' 과정을 설명했다. 먼저 아메리카 대륙의 발견과 아
프리카 회항로回航路의 발견 등을 언급했는데, 그것이 그대로 사회
의 발전을 가져온 것이 아니라 "예전의 봉건적 또는 동업조합적 공
업경영 방식은 새로운 시장과 함께 늘어난 수요를 더 이상 충족시킬
수 없는" 사회모순을 발생시켰고, 그에 따라 새롭게 대두하는 사회

계급, 즉 부르주아지에게 신천지를 열어주었다고 해석했다.

　이러한 점에서 마르크스는 '혁명적 개조', 즉 시대전환이 단순히 외부의 영향에 의한 것이 아니라 '내재적 발전'의 결과라고 생각했음이 확인된다. 그런데 마르크스의 이런 주장은 유럽사회의 역사를 대상으로 관찰한 것이고, 유럽 이외 사회, 가령 아시아사회의 역사는 이런 도식과 부합하지 않는다. 그리하여 마르크스는 아시아가 고대의 생산방식 그대로 '정체'되어 있는 후진사회라고 판단하고 이를 설명하기 위해 '아시아적 생산양식'이라는 말을 사용했다. 즉 **마르크스는 유럽사회는 내재적 발전에 의해 합법칙적으로 진보한 '보편적 사회'인 반면, 아시아사회는 정체되어 있는 '특수한 사회'라고 설명한 것이다.**

　사실 마르크스의 위와 같은 '보편사회유럽사회'와 '특수사회비유럽사회' 구분은 과학적 근거가 있는 것이 아니라 앞서 살펴본 계몽주의 사상가들, 버클Buckle을 비롯한 실증주의 역사가들, 그리고 헤겔Hegel을 비롯한 역사철학자들의 자기중심적인 유럽 우월주의 인식을 물려받아 구체화한 것일 뿐이다. 하지만 과학기술과 무기의 발달로 서양 제국帝國들이 아시아와 아프리카 국가들을 침입해 식민지로 경영해 나가던 상황에서는 서양이 선진사회이며, 아시아와 아프리카는 후진사회라는 주장에 이의를 제기하기 어렵다. 우리나라를 비롯한 아시아 국가의 민족운동가 일부는 유구한 정신문화를 내세우며 스스로가 서양인들보다 오히려 선진적인 족속이라고 설파했지만, 약육강식의 현실에서는 공허한 외침일 뿐이었다.

'보편성'과 '특수성' 문제는 앞서 살펴보았듯이 역사학 이론의 중요 논제 가운데 하나인데, 균형감 있게 판단하면 선악이 없고 양면성을 함께 고려해야 하는 것이다. 그런데 이 논의의 '보편사회'와 '특수사회' 구분은 선악이 반영된 것으로, 보편사회는 선이고 특수사회는 악이거나 혹은 보편사회의 것을 따르거나 지도를 받아야 할 존재라는 인식이 바탕에 깔린 것이다. 인간사회에서 '특이하다', '남다르다', '차원이 다르다('4차원이다' 같은 표현)' 같은 표현은 간혹 선구자에게 붙이는 찬사로 쓰기도 하지만, 선구자적 면모 없이 특수하거나 남다른 것은 사회에 적응하지 못하는 기인奇人이나 사이코패스 취급을 받는 사례를 떠올리면 이해하기 쉬울 것이다. '(한국사) 정체성론'은 이와 같은 유럽의 경제학 이론을 바탕으로 19세기 조선사회가 내재적 발전을 이루지 못한 특수한 후진사회라는 주장이다.

물론 한국사에 '정체성론'이라는 굴레를 씌운 것은 마르크스가 아니라 이러한 유럽의 경제학 이론을 공부한 일본인이었다. 후쿠다 도쿠조福田德三, 1874~1930라는 경제학자로 독일에서 마르크스 경제학을 공부하여 돌아와 일본에 전파하고, 한편으로는 마르크스의 이론을 비판하기도 한 인물이다. 메이지유신으로 개혁을 이룩한 일본인들은 자신들이 유럽인과 동등하며, 자신들의 역사도 유럽 여러 나라들과 유사하다고 생각했다. 공교롭게도 메이지유신 이전의 막부시대幕府時代, 가마쿠라-무로마치-에도는 서양의 봉건제와 유사한 면이 있어 메이지유신 이후는 근대자본주의사회로, 그 전은 중세봉건제사

일본의 경제학자 후쿠다 도쿠조
일제강점기 한국은 봉건제사회에 이르지 못하고
노예제사회에 정체되어 있다고 주장했다.

회로 주장하기가 쉬웠다. 반면 우리나라의 역
사는 왕조교체를 통한 지배세력의 변화만 선
명히 드러날 뿐 봉건제의 성립 같은 지배구조
와 경제구조의 변화가 드러나지 않는 약점(?)
이 있었다.

　후쿠다 도쿠조는 원래는 한국사에 큰 관
심을 가진 이가 아니었는데, 러일전쟁 당시 며
칠 간 한국을 여행한 후 「한국의 경제조직과
경제단위」1904라는 논문을 썼다. 이 논문에서
그는 당시 한국의 사회경제적 발전 정도가 일
본의 봉건제가 성립한 가마쿠라막부 이전 시
기인 10세기 후지와라藤原시대에 해당한다고
주장했다. 즉 한국이 봉건제사회에 이르지 못
하고 노예제사회에 정체되어 있다는 해석인데, 이런 주장은 결국
한국이 근대화를 이루기 위해서는 '선진 일본'의 지도를 받아야 한
다는 일제의 정책에 크게 기여(?)한 셈이 되었다. 실상은 겨우 며칠
간의 여행으로 얻은 짧은 생각을 탁상에서 정리한 것일 뿐인데, 일
제의 식민정책과 잘 들어맞으므로 자세한 관찰에 근거한 대단한 이
론처럼 둔갑한 것이다.

　이후 일본의 역사학·경제학 연구자 대다수는 이런 '정체성론'
의 시각에서 조선의 사회와 역사를 바라봤다. 우리나라 민족주의 사

학자들은 그에 대한 반론을 시도했으나 사실 그러한 반론 대다수는 과녁을 잘못 설정했다. 오히려 우리의 특수한 우월성을 강조하는 경향이었는데, 나라 잃은 민족의 정신을 고취하는 데는 효과가 있었으나 학문적인 반론은 되지 못했다. 본격적인 반론은 마르크스주의 사회경제학을 공부한 백남운白南雲, 1894~1979에게서 나왔다. 우리나라 근대역사학 태동의 세 갈래로 ① 신채호 등의 민족주의 사학 ② 백남운 등의 사회경제사학 ③ 이병도 등의 실증사학을 꼽을 정도로 백남운은 우리나라 근대사학사에서 빼놓을 수 없는 인물이다. 하지만 생소하게 느끼는 독자들이 적지 않을 터인데, 1948년 4월 평양의 남북연석회의에 백범 김구金九, 1876~1949와 함께 참석했다가 그대로 눌러앉아 죽을 때까지 북한 정권의 고위 관료로 활동한 이력으로 인해 중고등학교 역사교육에서 언급할 수 없었기 때문이다.

　백남운은 정체성론뿐 아니라 타율성론에 대한 반론도 시도하는 등 한국사를 특수한 기형사회로 보는 모든 견해에 반대하면서, 마르크스주의의 사적 유물론史的 唯物論에 입각해 한국사도 세계사적 보편법칙에 따라 발전해 왔음을 구명하려고 했다. 즉 한국사도 '내재적 발전'을 통해 성장해 왔다고 주장한 것이다. 백남운은『조선사회경제사』1933와『조선봉건사회경제사』1937를 출간하면서, 우리나라 역사의 발전과정을 ① 원시씨족공동체 ② 노예경제삼국시대 ③ 아시아적 봉건사회삼국시대 말기에서 최근세 ④ 아시아적 봉건국가의 붕괴과정과 자본주의의 맹아형태 ⑤ 외래 자본주의의 발전과 국제관계 ⑥ 이데올로기 발전의 총과정 등의 6단계로 나누어 파악하고자 했

역사학자 백남운과 저서 『조선봉건사회경제사』(1937) 표지
백남운은 한국사의 '내재적 발전'을 주장하며 정체성론에 반론을 폈다.

다. 주목할 것은 삼국시대를 고대노예제사회로, 삼국시대말기 이후, 즉 삼국통일 직전단계 이후부터를 중세봉건사회로 본 것이다. 이는 오늘날 중고등학교 국사교과서와 한국사 개설서 대다수가 고려시대 이후를 중세사회로 시대구분하는 것보다 중세전환기를 더 빨리 잡은 것이다.

후쿠다의 (한국사) 정체성론과 백남운의 반론 이후 다양한 관점에서 새로운 논의들이 나왔다. 모리야林谷克己라는 일본 경제학사는 한국사에 봉건사회가 존재했다는 것은 인정했으나 노예제사회의 존재를 부정하면서 한국사를 기형적인 특수사회라고 주장했다. 한편, 백남운과 함께 일제강점기 사회경제사가들로 분류되는 김광진·이청원·전석담 등은 노예제사회의 존속시기를 백남운보다 휠

씬 후대로 내려 잡거나, 모리야처럼 노예제사회의 존재를 부정하기도 했다. 백남운이 당시 대표적 마르크스주의 사회경제사가였지만 순수한 마르크스주의자라기보다는 민족주의적 성향이 짙었던 데 반해, 김광진金光鎭, 1902~1986 등 여타의 사회경제사가는 마르크스주의에 좀 더 철저히 입각해 입장차를 드러냈다. 그러던 것이 해방 후 북한학계에서 이 사회경제사가들이 모여 오랜 '삼국시대 사회성격 논쟁'을 거친 후 기원전후인 삼국시대 초기부터 봉건제사회라는 결론을 내렸다. 북한학계에서는 우리나라가 세계에서 가장 빨리 봉건사회로 전환하여 2000년 동안 존속했다는 기형적 해석이 정설로 자리 잡은 것이다.

이처럼 후쿠다의 정체성론과 이에 대한 백남운의 반론 이후 다양한 논의들이 나왔지만, 우리 학계의 시각을 중심으로 간략하게 정리하면, 대체로 1970년대 이후 김용섭金容燮, 1931~2020 등이 제기한 '조선후기 자본주의 맹아론'과 1990년대 후반 안병직·이영훈 등이 그에 대한 반론으로 제기한 '식민지 근대화론' 간의 논쟁이 현재까지 계속되고 있다고 할 수 있다. 쉽게 설명하면, '자본주의 맹아론'은 일제의 침략이 없었더라도 조선이 스스로 근대화를 이룩할 수 있는 싹(맹아)을 틔우고 있었다는 '내재적 발전론'(근자에는 '내재적 발전론'이 아니라 '주체적 발전론'이라고 쓰자는 주장도 나왔다)이고, '식민지 근대화론'은 그러한 주장을 부정하면서 식민지 경험을 통해서 비로소 자본주의로 전환할 동력을 얻었다는 주장이다.

역사학자 김용섭과 저서 『조선후기농업사 연구』(1970~1971) 표지
김용섭은 조선이 스스로 근대화의 싹을 틔우고 있었다는 '조선후기 자본주의 맹아론'을 주장했다.

　'자본주의 맹아론'과 '식민지 근대화론'의 논박은 매우 난해하고 지면상의 제약도 있어 이 정도로 약술하고, 심화학습이 필요한 부분은 이 분야 전공자들이 저술한 논저를 권한다. 다만 이와 관련한 한두 가지 필자의 짧은 생각과 소회를 언급하고자 한다. 불타는 애국심으로 한국사를 바라보면, '조선후기 자본주의 맹아론'에 전적으로 마음이 가고 '식민지 근대화론'에는 분노하게 된다. 하지만 학술적인 시각으로 살펴보면 1930년대 백남운의 연구와 1970년대의 '자본주의 맹아론'에 확대해석이 다소 있고, 따라서 '식민지 근대화론'에서 지적한 문제제기들이 일부 타당한 점도 있는 것이 사실이다.

그런데 『반일종족주의』에서 늘어놓은 이영훈의 언설을 살펴보면, 이영훈의 '식민지 근대화론'이 과연 학술적인 냉철한 반성에서 나온 것이었는지 의심스러운 면이 있다. 필자의 학창시절 선생 가운데는 우리의 현실을 비판하면서 "미국(또는 독일이나 일본)에서 이런 건 상상할 수 없어!" 하는 말을 즐기는 분이 종종 있었다. 우리 현실의 문제점을 개선하자고 독려하는 취지에서 미국·독일·일본 같은 선진국의 국민의식을 소개하는 것은 타당한 교육방식이라 할 수 있다. 하지만 필자의 경험상 실제로 그런 말을 즐기는 사람 대다수는 우리나라에 대한 애정이 깊어서 그런 것이 아니라 미국·독일·일본 같은 나라의 문화에 홀딱 빠져서 자신이 우리나라 사람임을 부끄러워하고 스스로 그 나라 사람과 동화되고 싶어했다.

이영훈은 『반일종족주의』의 첫 장인 프롤로그의 제목을 '거짓말의 나라'라고 붙이고 첫 문장을 "한국의 거짓말 문화는 국제적으로 잘 알려진 사실입니다"라고 시작한다. '한국종족'이 거짓말을 잘한다고 단정하면서 글을 시작한 것이다. 한국인이라는 것을 자랑스럽게 여기는 독자라면 누구라도 분노할 만한 주장인데, 필자는 분노보다 의문이 앞섰다. "이 책에 열광하는 독자가 적지 않다고 들었는데 이거 뭐지?" 싶었다. 더욱 의아한 건 이영훈이 뉴라이트 역사를 표방하는 대표적 인물이라는 점이다. "뉴라이트는 '자학사관'을 펼치지 말자고 목소리를 높였는데, 이거 뭐지? 이거 자학 아닌가?" 싶었다. 신채호가 말한 역사를 바라보는 관점, '아我와 비아非我의 투쟁'이라는 관점에서 미루어 보면, 이영훈이 과연 우리민족을 아我로 보고 있는지 의심스러운 대목이다. 그런 면에서 그의 경제사 연구에서 나온 '식민지 근대화론'의 저의까지 의심 사는 것은 자승자박이라 하겠다.[2]

2_____ 『반일종족주의』에 대한 반론으로 많은 논저들이 나왔는데, 그 가운데 우선 읽어야 할 책으로 강성현, 『탈진실의 시대, 역사부정을 묻는다』(푸른역사, 2020)와 전강수, 『반일종족주의의 오만과 거짓』(한겨레출판사, 2020)을 추천한다. 『반일종족주의』 앞부분은 식민지 수탈이 허구라는 주장으로, 중간 이후부터는 위안부 강제동원이 허구라는 주장으로 구성되어 있다. 강성현 선생은 위안부 문제를 중점 검토했고, 전강수 선생은 전체를 논박했으나 수탈문제에 좀 더 무게를 두었다.

"강한 것이 아름답다"는 생각이 우리 역사에 미친 영향

우승열패·약육강식 현실 속 친일파의 선택

역사연구자들은 대체로 '사회부적응자'에 가깝다. 대화를 하면 스피드시대에 걸맞지 않게 서론이 길고 결론을 내는 과정도 매우 복잡하다. 일종의 직업병이다. 역사연구자 대다수는 역사상 인물이나 현실의 정치인을 평가할 때 장점과 단점을 장황하게 말한 뒤 종합적으로 평가한다. 가령 "그 사람 이런 점은 좋은데 이런 점은 나쁘다"고 하는 식인데, 대중의 입맛에는 맞지 않는 설명이다. 다수의 대중은 저항시인 김남주1946~1994의 "매국노와 애국자가 있을 뿐이고 그 중간은 없는 것"(「어머님께」 중에서)이라는 부르짖음처럼 선악을 화끈하게 결정지어 줄 것을 기대하기 때문이다.

친일파와 민족운동가에 대한 대중의 인식도 그와 같은 도식적인 분류에 익숙하여, 친일파의 삶은 모든 것이 반역을 위한 술수로,

친일매국노 송병준(왼쪽)**과 이용구**
이용구는 일진회 회장이 되어 한일병합을 청원했다. 친일한 자들은 구국의 심정에서 그리했다고 변명한다.

민족운동가의 삶은 모든 것이 애국을 위한 결단이라고 생각하는 이가 많다. 필자역시 어린 시절에는 그런 도식에 빠져 있었는데, 훗날 친일파들의 행적을 공부하면서 매우 당황스러웠다. 친일파 가운데적지 않은 이들이 처음에는 개화나 혁명에 앞장섰고, 친일파로의 변절과정도 제딴에는 가식 없이 구국의 심정으로 결단(?)한 이가 적지 않았기 때문이다. 일례로 대표적 친일단체인 일진회一進會 간부들의 행적을 살펴보면, 초대 회장 송병준宋秉畯, 1857~1925은 김옥균金玉均, 1851~1894을 암살하러 갔다가 오히려 김옥균에 감화되어 잠시나마 개화파를 자처했던 인물이고, 2대 회장 이용구李容九, 1868~1912는 1894년 동학농민운동에 적극적으로 참여한 인물이며, 이후의 회장 윤시병尹始炳과 부회장 유학주俞鶴柱 등은 독립협회 출신이다.

물론 그 '구국의 심정'은 뻔뻔한 변명일 뿐이고, 다른 분들이 일제의 탄압을 받는 동안 그들은 매국과 친일의 대가로 부귀영화를 누렸으므로 비난받아 마땅하다. 그런데 숙고해 볼 필요가 있는 것은그들이 주저 없이 변절하고 이후에도 뻔뻔한 자세를 고수할 수 있었던 동력, 즉 믿는 구석이 무엇이었던가 하는 점이다. 그것은 서양인들과 일본인들의 그릇된 시각에서 비롯된 그릇된 '역사학 이론'과 '사회학 이론'이었다. 제12장 「일제 식민사학과 그 영향: 식민사학의 형성배경과 '우리 안의 식민사관'」에서 소개한 '동양평화론'과 '식민사관'이 대표적인데, 그 외에도 "강한 것이 아름답다"는 생각이 크게 작용했다. 학술적으로는 인간사회에서도 '우승열패'와 '약육강식'이 작용한다는 생각, 이른바 '사회진화론社會進化論, Social Darwinism'과 관련 있는데, 이 장에서는 그런 생각이 우리나라 근대사에 미친 영향을 살펴보고, 나아가 그것이 오늘날 우리사회에 어떤 그림자를 드리우는지 살펴보고자 한다.

> '사회진화론'은 19세기 찰스 다윈이 발표한 생물진화론에 입각하여, 사회의 변화와 모습을 해석하려는 견해로 허버트 스펜서가 처음 사용한 개념이다. 그 후 19세기부터 20세기까지 크게 유행하였다. 사회진화론은 인종차별주의나 파시즘, 나치즘을 옹호하는 근거와 신자유주의의 경제적 약육강식 논리에 사용되기도 하였다. 따라서 오늘날에는 주로 극복해야 할 사상으로 언급된다.

「위키백과」의 '사회진화론'에 대한 표제 설명인데, 여타 백과사전의 설명도 대동소이하다. 틀린 부분이 있다고 콕 집어 말하기는 어렵지만, 엄밀히 말해 이런 설명은 오해의 소지가 조금 있다. 적지 않은 수의 사회학자들은 허버트 스펜서Herbert Spencer, 1820~1903의 견해에 대해 다윈의 생물학 이론을 사회학에 엉터리로 적용한 것이라고 폄하하면서, 스펜서가 우승열패·약육강식을 정당화하여 제국주

영국의 사회학자 허버트 스펜서

'사회진화론'은 스펜서의 의도와 상관없이 우승열패·약육강식을 정당화하는 논리로 이용되었다.

의나 인종차별주의, 파시즘, 나치즘 등에 정당성을 부여했다고 비난한다. 하지만 사실 스펜서의 견해는 인간사회 또는 사회 간 불평등을 관찰한 결과일 뿐 그 불평등을 정당화하는 데까지 나아갔다고 보기는 어렵다. 현실을 직시하는 것과 그것이 정당하다고 하는 것은 차이가 있고, 그런 시각은 스펜서뿐 아니라 앞서 소개했듯이 계몽주의·실증주의·역사철학의 시각처럼 그 전부터 유럽사회에 널리 퍼져 있었기 때문이다.[1]

이처럼 스펜서가 사용한 '사회진화'는 당초에는 우승열패·약육강식을 정당화하는 것이 아니었지만, 후속 연구자들에 의해 정당화하는 견해로 둔갑했고, 그 변형된 '사회진화론'이 중국과 일본을 거쳐 우리나라에 도입되면서 일제의 식민지배와 친일파들의 친일논리에 정당성을 부여했다. 대표적인 예로 일진회 2대 회장 이용구가 일본인 통감 소네

---

[1] _____ 스펜서의 저작은 국내에 소개된 것이 거의 없고, 한국근대사와 한국사학사 개설서 등에서 『위키백과』의 설명처럼 개략적으로 소개된 것이 대다수다. 근자에 번역가 이상률에 의해 『개인 대 국가』(이책, 2014)와 『국가 의무의 한계』(이른비, 2021)가 번역 출간되었는데, 두 책의 옮긴이 해설이 스펜서의 시각을 이해하는 데 도움을 준다.

아라스께曾禰荒助, 1909~1910년 대한제국 통감, 순종純宗 황제, 총리 이완용李完用, 1858~1926 앞으로 보낸 세 통의 「병합청원서」1909의 내용을 들 수 있다.

이용구는 이완용·송병준과 함께 3대 친일매국노로 꼽히는 인물이다. 이용구는 1894년 동학농민운동군이 일본군을 상대로 혈전을 벌일 때 손병희孫秉熙, 1861~1922 휘하의 우익장右翼將으로 청주에서 궐기한 인물인데, 체포 후 옥고와 조선정부의 요시찰을 겪으면서 그 박해에서 벗어나려고 외세에 의존했다. 러일전쟁1904~1905 개전 당시 대다수는 러시아의 승리를 예상했는데, 이용구는 일종의 선견지명(?)으로 여느 사람과 달리 일본의 승리를 예상하고 일본군에게 정치·군사적인 측면에서 적극 협력했고, 나아가 일진회 회장이 되어 병합을 청원했다.[2]

'일진회 이용구 등 1백만 인'의 이름으로 소네 통감에게 보낸 「병합청원서」에서 이용구는 먼저 '동양평화'를 운운한 뒤 (조선과 일본은) **종족의 근본이 같고, 언어는 근원이 같으며, 같은 문자를 쓰고, 같은 풍속에, 종교는 취지가 같고 같은 학예學藝를 숭상했습니다.** 하물며 지리의 근접이란 순치脣齒, 입술과 이의 관계와도 같아서 정치적·경제적인 이해가 일치불가분인 것입니다"라고 했다. 또한 순종 황제에게 보낸 「병합청원서」에서는 마침내 조선을 '죽은 시체'에 비

2___ 이러한 이용구의 행적과 세 통의 「병합청원서」 전문(全文)은 친일파 연구의 선구자 임종국 선생이 출간한 『친일논설선집』(실천문학사, 1987)에서 확인할 수 있다.

유하면서 **"일본은 이미 먼저 세계 1등국의 줄에 들어섰다"**고 강조한 뒤 "일본 천황폐하께서는 지극히 어지시와, 우리 2000만 동포를 화육化育, 만물을 낳고 자라게 함하시어 동등한 백성으로 하옵실 것은 필연이옵니다. … 다만 엎드려 빌며 말하노니, **백성들이 세계 일등국과 같은 줄에 서는 복을 이에 누리게 하옵소서**"라면서 '병합' 문서에 빨리 도장을 찍으라고 강요했다.

이용구의 이러한 '줄서기'는 '합방'에 이르는 과정까지는 나름의 성과(?)가 있었다. 이왕 망한 나라, 즉 '죽은 시체'의 장례식에 적극적으로 나선 공로로 일제로부터 은사금 10만 엔을 받았다. 하지만 이용구는 그로부터 채 보름도 되지 않아 일제로부터 일진회가 강제 해산되는 것을 목도했고 2년 뒤에는 죽음을 맞이했다. 이용구는 죽음에 이르러 일진회 고문과 회원에게 "아아 우리는 속았어요"[3]라는 말을 남겼는데, 진정 자신이 무엇을 잘못했는지 몰랐다. 저 말을 자신이 했던 병합청원을 후회하는 것으로 해석하는 이도 있지만, 그저 이용당하고 버려진 심경을 표출했을 뿐이라는 해석이 아마 옳을

3____ "아아 우리는 속았어요": 이용구가 순진히어 일제의 책략에 속아서 병합을 청원했다는 해석이 있다. 사실 이 병합청원서는 이용구가 자력으로 쓴 것이 아니라 '정계의 흑막(黑幕)'이라 불리는 스기야마 시게마루(杉山茂丸, 1864~1935, 일본의 정치운동가이자 기업인, 일진회 고문)가 상당부분 작성하여 이용구에게 건냈다는 것이 정설이므로 이는 타당한 해석이다. 하지만 그렇다고 하더라도 그처럼 당당하게 자기 이름으로 제출한 것은 그 역시 '동양평화', '일선동조', '우승열패·약육강식'의 논리에 적극 동조했기 때문이리라.

춘원 이광수와 그가 쓴 『나의 고백』(춘추사, 1948) **표지**
장편 『무정』을 펴내며 한국 근대문학을 대표했지만 일제 말기 친일 행각으로 지울 수 없는
오명을 남겼다. 이광수는 『나의 고백』에서 자신의 친일 행위를 '민족을 위한 고육지책의 선
택'이었다며 변명을 늘어놓았다.

것이다. 그는 반성하지 않은 채 죽었고, 죽은 뒤에는 일본 천황으로
부터 훈1등 서보장을 추서받았다. 또한 같은 친일파 송병준으로부
터 "땅을 먹고 하늘을 모셨으니, 이게 바로 사람의 도리이었네. 처
신이 간고艱苦하였으므로, 영회靈懷가 깊고 넓으셨네. 임금 잘 섬기
고 백성 잘 보살펴, 위태로운 나라 보전하셨네" 하는 낯 뜨거운 묘지
명을 선물 받았다.

   이용구의 이런 궤변과 당당함(?)은 일제강점기 대표적인 친일
문인 이광수1892~1950에게서도 발견된다. 이광수가 1922년 「민족
개조론民族改造論」을 쓸 당시부터 친일 의도가 있었던 것인지, 아니면

'수양동우회' 사건으로 투옥1937되었을 때 석방되는 대가로 친일·변절을 약속한 것인지에 대해서는 논란이 있지만(투옥 반년 만인 1938년에 석방되었음), 어떻든 그가 대표적 악질 친일파임에는 논란의 여지가 없다. 필자가 수많은 친일파 가운데 이광수를 대표적 악질 친일파로 꼽는 까닭은 해방 후 그가 자신의 친일행각을 변론하기 위해 쓴『나의 고백』1948에서 늘어놓은 궤변 때문이다. 이광수는 이 글에서 "이왕 면할 수 없는 처지일진대, 이 불행을 우리 편이 이익이 되도록 이용하는 것이 상책"이라면서 적극적인 친일을 하면 '내선차별'을 제거하고 나아가 독립할 수 있는 실력양성을 할 수 있다는 생각에서 친일했다는 변명을 늘어놓은 뒤, 병자호란 때 홍제원 목욕 이야기를 예로 들면서 지나간 일은 모두 덮는 '망각법'을 결의하는 것이 현명한 조처라고 주장했다.

"병자호란에 서울 사대부집 처녀들 수백 명이 포로가 되어 심양으로 갔었다. 이후에 화친이 성립되어 본국으로 송환되었으나 그들의 정조가 문제되었다. 이에 인조대왕은 '심양에 잡혀갔다가 돌아오는 여자들은 홍제원에서 모조리 목욕을 하고서 서울로 들어오라'는 영을 내렸다. 이것으로 정조문제를 일척하고(물리치고) 다시 거론하는 자는 엄벌한다는 것이다. 이리하여 수백의 아내와 딸들이 누명을 벗고 다시 아내가 되고 어머니가 된 것이었다. 만일 그러하지 않고 정말 깨끗한 자와 더럽혀진 자를 가리고, 더럽혀진 자 중에서도 억지로 더럽혀진 자, 마음이 동한 자를 가리기로 하였으면, 어떠한 결과를 생生하였을까.

오늘날 친일파 문제도 이와 비슷하다. 사십 년 일정 밑에 일본에 협력한 자, 아니한 자를 가리고, 협력한 자 중에서도 참으로 협력한 자, 할 수 없어서 한 자를 가린다 하면 그 결과가 어찌될 것인가. 일정에 세금을 바치고, 호적을 하고, 법률에 복종하고, 일장기를 달고, 황국신민 서사를 부르고, 신사에 참배하고, 국방헌금을 내고, 관공립학교에 자녀를 보내고 한 것이 모두 일본에의 협력이다. 더 엄격하게 말하면, 죽지 않고 살아 있는 것도 협력이다. 그러므로 우리는 삼천만 민족 전체로 홍제원 목욕을 하고 다시는 죽더라도 이민족의 지배를 받지 말자고 서약함이 효과적이기도 할 것이다. …

건설 중에 있는 대한민국이 절실히 요구하는 것은 인화人和다. 힘은 화에서 오기 때문이다. 미소의 대립과 삼팔선의 국토와 민족 양단의 난제를 극복하는 것은 오직 삼팔이남 주민 이천만의 인화라고 아니할 수 없다. …

민족 대의로 말하면, 지난 삼 년간의 친일파에 대한 설주필주舌誅筆誅, 말로 죽이고 글로 죽임의 통고도 이미 삼 년 징역의 통고만은 할 것이요, 또한 반민법의 제정으로 민족대의의 지향을 명시하였으니, 이제 더 추궁함이 없이 망각법을 결의하여 민족 대화를 회복하고 민족 일심일체의 신기력을 진작함이 현명한 조처가 아닐까?"

이에 대해서는 굳이 논평할 필요가 없을 것이다. 한마디 한마디가 울분이 치미는 터무니없는 궤변임은 물론이고, 설령 다 맞는 말이라 하더라도 "이제 더 추궁함이 없이 망각법을 결의하여 민족 대화를 회복하고 민족 일심일체의 신기력을 진작함이 현명한 조처"라는 소리는 친일파인 이광수 제 입으로 할 말이 아니기 때문이다.

유의할 점은 앞서 소개했듯이 이광수가 친일의 이유로 실력양성을 운운했다는 것이다. 이런 점에서 이광수의 「민족개조론」은 우승열패와 약육강식을 정당화한 식민지배 논리와 맥락을 같이 한다. 사실 민족개조론은 도산 안창호安昌浩, 1878~1938의 '무실務實·역행力行' 사상을 본뜬 것인데, 목적은 판이했다. **안창호가 부르짖은 무실·역행은 독립을 갈구하는 목소리였지만, 이광수가 떠든 무실·역행은 그것이 선행되지 않고서 독립을 갈구하는 것은 부질없는 짓이므로 독립을 꿈꾸지 말라는 조선총독부의 식민지배 술책에 기생하는 주장이었던 것이다.**

그러면 이처럼 우승열패·약육강식 정당화 논리에 수긍한 이는 모두 친일파거나 친일파적 성향을 가진 인물이었을까? 전혀 그렇지 않고, 오히려 친일파보다 민족운동가들의 사상에서 사회진화론적 경향이 더욱 짙게 나타난다. 대표적인 예로 박은식朴殷植, 1859~1925·안창호·안중근安重根, 1879~1919·신채호의 사상을 들 수 있는데, 대체로 중국 사상가 량치차오梁啓超, 1873~1929가 받아들인 사회진화론의 영향을 받은 것으로 알려져 있다.

이 가운데 박은식과 안중근이 사회진화론을 설파한 깃은 일제강점이 실행된 1910년 이전까지였던 반면, 안창호와 신채호는 이후로도 10여 년 동안 사회진화론적 시각을 견지했음이 눈에 띈다. 앞서 언급했듯이 안창호는 그러한 생각에서 무실·역행·실력양성을 설파했는데, 신채호의 경우에는 다소 특이한 면이 있다. 신채호는

박은식, 안창호, 안중근 (왼쪽부터)
민족운동가들도 사회진화론의 영향을 받았지만 받아들이는 태도는 달랐다.

사회진화론의 논리를 깊이 연구하면서 그것이 열강의 식민지배 논리로 악용되고 있음을 간파하고 1920년대 이후 아나키즘(이른바 '무정부주의') 운동에 참여하여 민중의 직접혁명과 세계 식민지 민중과의 연대 필요성을 설파했지만, 또 한편으로는 우리민족이 약소하고 열등한 민족이 아니라 원래는 강대하고 우등한 민족이었음을 강조했다. 신채호 사상의 이러한 다원성은 오늘날 역사 전공자와 대중 간 역사인식의 괴리를 낳았는데, 이에 대해서는 제15장 「단재 신채호 역사학의 빛과 그림자」, 제18장 「김부식과 『삼국사기』에 대한 몇 가지 오해」, 제19장 「고구려의 역사·문화는 통일신라를 통해 우리에게 전해졌다: 삼국통일 부정론의 망상」에서 자세히 살펴보겠다.[4]

이처럼 우승열패·약육강식에 따른 열강의 약소국 침탈은 당시에는 친일파들뿐만 아니라 민족운동가들도 어쩔 수 없는 현실이라고 여기는 것이었다. 차이는 우리가 약자이므로 일제에 굴복하는 것은 당연하다고 생각했는가, 아니면 우리가 원래는 열등하고 약소한 민족이 아니라고 설파하면서 독립운동에 앞장섰는가 하는 것이었다.

우리 역사를 사랑하는 사람들 가운데 적지 않은 이가 신채호의 말과 글을 따라 '대륙을 누빈'(실제로는 대륙을 누볐다고 상상된) 고구려의 역사만을 사랑하고, 국체國體를 보전하기 위해 솔선수범한 7세기 신라인들의 노고는 폄훼하기를 주저하지 않는데, 이는 신채호가 살았던 시대의 당면과제를 이해하지 못하고 앵무새처럼 따라하는 것에 불과하다. 어떤 이들은 더 나아가 '고토회복'과 '남벌南伐'을 부르짖기까지 하는데, 현실성이 없을 뿐 아니라 국익에 아무런 보탬이 되지 않는다.

현재 우리나라는 남북으로 나뉘어 있는 처지이기는 해도 신채호가 살았던 암울한 시대와는 엄연한 차이가 있다. 또한 약육강식·우승열패의 현실은 현대에도 엄연히 작동하고 있지만, 이상으로나마 그것이 정당하지 않다는 것에는 대다수가 동의하고 있다. 또한 아직도 일부 국가에서는 법제적인 불평등이 존재하지만, 선

4_____ 민족운동가들이 량치차오의 영향으로 사회진화론에 심취한 점에 대해서는 한양대학교 박찬승 교수의 「한말 신채호의 역사관과 역사학 −청말 양계초와의 비교를 중심으로−」『한국문화』9(1988)와 「한말·일제시기 사회진화론의 성격과 영향」『역사비평』32(1996)를 추천한다.

진 민주주의 국가 대다수는 평등을 천명하고 나아가 제대로 된 평등을 실현하기 위해 사회적 약자를 보호하는 법안을 계속 보강하고 있다. 이런 현실에서 적지 않은 이들은 탈북자나 난민, 개발도상국 출신의 외국인 노동자 등에게 혐오를 드러내고 그 수용을 결사반대하는 의견을 표명하는데, 약육강식·우승열패의 논리에 고통 받은 선조들의 역사를 망각하는 그릇된 주장이라 아니할 수 없다.

『나의 고백』을 통한
이광수의 변명

이광수가 1948년 12월 출간한 『나의 고백』은 자서전 형식이지만, 실제 저술목적은 그해 제정·공포1948년 8월 22일된 반민족행위처벌법에 반발하고, 자신의 친일행각을 변명하기 위함이었다. 이 책에서 **이광수가 늘 어놓은 변명의 요지는 두 가지로, 친일이 실력양성을 위한 현명한(?) 선택이었다는 것과 이제 해방이 되었으니 건설적인 미래를 위해 지나간 일은 모두 덮자는 것이다.** 건전한 정신의 소유자라면 누구나 분노할 법한 내용이지만, 당시에는 나름 통했고, 오늘날에도 유사한 주장을 하는 이가 제법 있다. 특히 뒷부분의 지나간 일을 모두 덮자는 말은 언뜻 들으면 그럴듯하지만, 친일을 한 이광수가 할 말은 아니다. 더 이상 거론치 말고 덮자든가, 조건 없이 화해하자든가 하는 말을 자격 없는 가해자나 가진 자들이 소리 높여 하는 경우가 많은데, 이광수도 예외는 아니었다. 이광수는 이런 궤변에 공감대를 형성하기 위해 물귀신 작전을 쓰기도 했다. "너희 중에 죄 없는 자가 먼저 돌을 던지라"는 예수의 말을 상기시키며, 살아 있는 모든 사람은 자신과 다를 게 없는 친일협력자라는 파렴치한 소리를 늘어놓았다

조선총독부 육군병지원자훈련소 행군 모습

『나의 고백』에서 이광수는 먼저 자신이 친일한 이유로 다음의 일곱 가지를 꼽았다.

(1) 물자 징발이나 징용이나 징병이나, 일본이 하고 싶으면 우리 편의 협력 여부를 물론하고 강제로 제 뜻대로 할 것이다.

(2) 어차피 당할 일이면, 자진하여 협력하는 태도로 하는 것이 장래에 일본에 대하여 우리의 발언권을 주장하는 데 유리할 것이다.

(3) 징용이나 징병으로 가는 당사자들도 억지로 끌려가면 대우가 나쁠 것이니, 고통도 더할 것이요, 그 가족도 그러할 것이다. 그러나 자진하는 태도로 하면 대우도 나을 것이요, 장래에 대상으로 받을 것도 나을 것이다.

(4) 징용이나 징병은 불행한 일이어니와, 이왕 면할 수 없는 처지일

진대, 이 불행을 우리 편이 이익이 되도록 이용하는 것이 상책이다. 징용에서는 생산기술을 배우고, 징병에서는 군사훈련을 배울 것이다. 우리민족의 현재의 처지로서는 이런 기회를 제하고는 군사 훈련을 받을 길이 없다. 산업훈련과 군사훈련을 받은 동포가 많으면 많을수록 우리민족의 실력은 커질 것이다.

(5) 수십만 명의 군인을 내어보낸 우리민족을 일본은 학대하지 못할 것이요, 또 우리도 학대받지 아니할 것이다. 그래서 정치적, 경제적, 사회적으로 우리민족을 압박하고 괴롭게 하던 소위 '내선차별'을 제거할 수가 있을 것이다.

(6) 만일 일본이 이번 전쟁에서 이긴다 하면, 우리는 최소한도로 일본 국내에서 일본인과의 평등권을 얻을 수 있을 것이다. 우리민족이 일본인과의 평등권을 얻는 것이, 아니 얻는 것보다는 민족적 행복의 절대가치에 있어서 나을 것이요, 또 독립에 대하여 한 걸음 더 가까이 갈 것이니, 대개 정치적, 경제적, 군사적 훈련을 받을 수가 있고, 또 민족적 실력을 자유로 양성할 수가 있기 때문이다.

(7) 설사 일본이 져서 우리에게 독립의 기회가 곧 돌아오더라도 우리가 일본과 협력한 것은 이 일에 장애는 안 될 것이다. 왜 그런고 하면, 우리는 일본 국내에서 정치적 발언이 없는 백성이므로 전시에 있어서 통치자가 끄는 대로 끌려갈 수밖에 없기 때문이다.

그런 뒤 마지막 장 「친일파의 변」에서 다음의 다섯 가지 예를 들면서 **자신을 비롯한 살아 있는 모두가 친일파거나 혹은 모두가 친일파가 아니**

라는 물귀신 작전으로 궤변을 펼쳤다.

(1) **홍제원 목욕** (본문에서 소개했으므로 내용은 생략)

(2) **삼학사**

병자호란에 삼학사 홍익한, 윤집, 오달제는 끝까지 청에 항복하지 아니하고 죽었다. 나라와 민족은 그들을 숭앙하여 그들의 자손은 녹용錄用되고 대접받았다. 그러나 그들이 갸륵하다 하여 전 국민이 다 삼학사가 될 수는 없어서, 이백칠십 년간 청국의 절제 밑에서 살았다. 전 한제국韓帝國, 대한제국이 망할 때에도 민충정閔泳煥 등 절사節士가 났다. 그를 우리는 흠모하거니와 그렇다고 전 민족이 다 피를 흘릴 수도 없는 일이요, 다 망명할 수도 없는 노릇이다. … 민족 전체를 삼학사의 절개를 표준으로 단죄한다는 것은 불가능한 일일뿐더러 민족에게 이로운 일도 아닐 것이다. … 군중이 간음한 여인을 끌어다가 돌로 때려죽이자고 큰 소리로 부르짖을 때에, "너희 중에 죄 없는 자가 먼저 돌을 던지라" 하신 예수의 말씀도 한번 참작할 것이 아닐까 한다. 만일 삼학사가 오늘 계시다면 자기의 청결을 자랑하여 불쌍한 동족을 숙청하라고 주장하셨을까.

(3) **관공리는 반민족자였던가?**

일본 순사보다는 조선인 순사가 좀 낫지 아니하였던가. "그놈 왜놈보다 더하다"는 악평을 듣던 형사도 일본인보다는 낫지 아니하였던가.

도포를 입은 조선인과 제복을 입은 일본 순사 (1906~1907)

조선인 군수이던 고을에 일본인 군수가 올 때에 백성들은 싫어하지 아니하였던가. 아동들도 조선인 훈도나 교장을 더 좋아하지 아니하였던가. 판검사도 조선인은 조선인에게 인정을 두었다는 것은, 사상 사건을 조선인 판검사에게 아니 맡기는 것을 보아서 알 것이었다. 유치장이나 감옥의 간수도 조선인이 우리에게 사정을 보였다. 다만 그들은 일본인에게 의심받지 아니할 정도에서만 인정을 썼기 때문에 우리에게는 불만이었던 것이다. … 어디나 악질인 자가 있는 모양으로 일정 시대 관공리 중에도 그런 자가 있을 것이다. 그러나 한두 포기 김을 없이 하기 위하여 밭 한 뙈기를 갈아엎을 것인가. 한번 반민족 행위자의 낙인이 찍히면 그는 다시 애국의 일을 못하게 될 것이다. 모모 농학 박사가 일본 시대에 장長이 되었다는 이유로 그 좋은 재주를 썩히고 있으니, 결과적으로 누구의 해인가.

(4) 미국인의 친일파관

해방 직후 미국무성 파견원이라는 미국 장교 두 사람이 나를 찾아왔다. 그들은 서너 장 되는 타이프로 친 글을 내게 보이고 비평을 구했다. 그것은 조선의 친일파 문제에 관한 그들의 보고서로서 국무성으로 보내는 것이었다. 그 내용은 이러한 것이었다. 그들은 조선에서 한 친일파도 만나지 못하였다. 조선의 해방을 마다하고 일본의 신민으로 머물려는 조선인은 하나도 없었기 때문이었다. 사십 년 조직적인 일본 통치하에서의 조선인의 일본 협력은 불가피한 일이었으며, 그렇지 아니한 사람은 망명하였거나 죽었다. 일본에 협력하는 것은 생명의 대가였다. 만일 일본에 협력한 자를 제외한다면 죽은 자와 일국 一掬, 한 움큼의 망명객들로 신국가를 조직하여야 할 것이라 하고 끝으로 조선서 친일파 배제를 주장하는 자는 좌익과 안락의자 정치가라 하였다. …

(5) 대한민국과 친일파 (본문에서 소개했으므로 내용은 생략)

15 단재 신채호 역사학의 빛과 그림자

우리나라 근대역사학은 단재丹齋 신채호가 1908년 8월 27일부터 12월 13일까지 50회에 걸쳐 『대한매일신보』에 연재한 「독사신론讀史新論」이라는 사론史論을 효시로 꼽는다. 이 글의 첫머리에서 신채호는 "국가의 역사는 민족의 소장성쇠消長盛衰, 성하고 쇠퇴함의 상태를 가려서 기록한 것이니, 민족을 버리면 역사가 없을 것이며, 역사를 버리면 민족의 그 국가에 대한 관념이 크지 않을 것이니, 아아, 역사가의 책임이 그 또한 무거운 것이다"(현대어법으로 고침)라고 했다.

　"효시嚆矢다"라고 한 것이 아니라 "효시로 꼽는다"고 한 것은 선배 연구자들의 표현을 따라한 것인데, 선학들이 이렇게 표현한 까닭이 있다. 신채호의 역사서술 이전에도 동양의 전통 사학의 방법을 탈피하려는 새로운 역사서술 시도가 전혀 없었던 것은 아니었기

단재 신채호 표준 영정(정광일, 1986)
일제의 침략주의에 맞서는 역사서술을 추구하며
민족주의 사학의 기틀을 마련했다.

때문이다. 우리나라 사학사에서 그러한 시도로 자주 언급되는 것은 김택영金澤榮, 1850~1927, 현채玄采, 1856~1925, 장지연張志淵, 1864~1921, 정교鄭喬, 1856~1925 등 개화사상가들의 저술이다. 이들은 우리의 정치·문화가 그동안 중국의 깊은 영향력 아래 있었던 것을 반성하면서, 청나라로부터 자주독립하려는 의지를 갖고 그에 부합하는 역사서술을 하고자 했다. 그러나 이들이 지목한 자주독립의 대상은 중국에 한정되었고, 일본에 대해서는 그들의 침략 의도를 간파하지 못한 탓에 오히려 우호적이었다.

특히 현채와 김택영은 하야시 다이스케林泰輔[1]가 『일본서기』에 보이는 신공황후의 신라 정벌, 임나일본부 설치 등을 역사적 사실로 서술한 것을 그대로 따라 썼다. 현채의 『동국사략東國史略』은 하야시의 『조선사』를 거의 그대로 편역한 것이고, 김택영은 하야시가 『일본서기』의 왜곡된 역사상을 나열한 것에 대해 "깜깜한 밤에 갑자기 이웃집에 불난 듯하여

---

1 _____ 하야시 다이스케(林泰輔)는 앞서 두어 번 소개했듯이 일본이 서구의 근대역사학을 배워 황국사관을 정립하고 그에 복무할 일본사 및 한국사 연구자를 길러낼 요량으로 창설한 동경제국대학 사학과 출신이다. 외형상 근대역사학의 방법에 의한 한국사 서술(1892년 『조선사』, 1901년 『조선근세사』, 1912년 『조선통사』 발간)을 처음으로 한 사람으로, 식민사학의 선구자(?) 격인 사람이다.

역사의 내용이 밝아졌다"고 칭송하기도 했다. 정교는 이들과 달리 임나일본부를 거론하지 않고 한사군의 태반이 중국에 있었다고 주장했으나, 일본과 조선의 조상이 같다는 동조동근론同祖同根論에 동의하는 등 역시 한계를 벗어나지 못했다. 오늘날 우리 관점에서는 매국적 역사서술로 평가할 만한데, 그들 스스로는 매국이 아니라 애국이라 여겼다. 안타깝지만 그것이 당시 우리나라 지식인들의 일반적인 국제관계 이해 수준이었다.

신채호의 역사학이 이들과 달랐던 것은 러일전쟁과 을사조약 (이상 1905년) 이후 일본의 침략야욕이 구체적으로 드러나고, 외세의 존적인 독립이 허상임을 자각한 데 있었다. 신채호는 유교적 명분론과 17세기 이후의 기자-마한 중심의 정통론적 역사서술 체계를 탈피함과 동시에 위와 같은 개화사상가들의 역사서술의 한계를 강하게 비판하면서 일제의 침략주의에 맞서는 역사서술을 추구했다. 그런 면에서 신채호의「독사신론」을 우리나라 근대역사학의 효시로 꼽는바, 따라서 해방 이후 오늘날에 이르기까지 우리나라 역사서술과 역사교육은 근자의 탈민족주의 시각의 역사서술 외에는 남북한 모두 신채호가 기틀을 잡은 민족주의 사학의 정신에서 크게 벗어난 적이 없었다.[2]

2_____「독사신론」의 사학사적 의의와 탈민족주의 시각의 한국사 연구의 문제점에 대해서는 대구가톨릭대학교 역사교육과 강종훈 교수가 2008년「최근 한국사 연구에 있어서 탈민족주의 경향에 대한 비판적 검토」(『한국고대사연구』52에 수록)에서 면밀히 검토했으므로 권한다.

미국 하와이 한인소년회가 발간한 한글판 「독사신론」(1911)
「독사신론」은 우리나라 근대역사학의 효시로 꼽는다.

그런데 **신채호의 사상은 하나로 일관된 것이 아니라 배움의 깊이 만큼 방대하고 다원적인 것이었다.** 신채호는 양반 가문에서 태어나 유학을 공부했고, 19세에 성균관에 입학하여 26세 되던 1905년에 성균관 박사(오늘날의 국립대 교수직에 해당)가 되었다. 그해 일어난 을사조약으로 본격적인 민족운동과 민족주의 역사서술에 앞장섰는데, 초기 역사관은 약육강식을 인정하는 사회진화론에 입각한 영웅주의적 민족주의 사관이었다. 이순신·을지문덕·최영을 우리나라 영웅 3걸로 꼽고 그들의 전기를 저술한 것(1908년 『성웅 이순신』, 『을지문덕전』, 1909년 『동국거걸 최도통전』)은 그러한 사관을 바탕으로 한 것

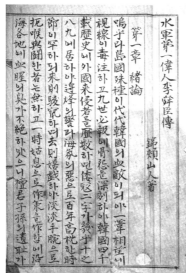

신채호가 저술한 『이순신전』(1908) **육필원고와 『을지문덕전』 표지**(1908)
단재의 영웅주의적 민족주의 사관이 반영된 전기다.

이었다. 또한 신채호는 1910년대 이후 대종교 또는 선교에 심취해 그를 바탕으로 『꿈하늘』이라는 단편소설을 썼다. 내용은 '한놈'이라는 주인공이 영혼세계에 올라가 을지문덕 장군을 만나 우리민족의 역사를 배우는 과정을 그린 것인데, 식민지 현실에서 민족혼과 투쟁의식을 고취시키려는 의도가 내포된 창작이었다.

이처럼 신채호는 나라 잃은 현실에서 독립을 갈구하면서 처음에는 이순신·을지문덕·최영 같은 영웅이나 초인의 등장에 기대를 걸었다. 그러다가 1917년 러시아혁명과 1919년 3·1운동을 계기로 민중의 힘을 발견하고 아나키스트인 김원봉金元鳳, 1898~1958 등과 교류하면서 아나키즘 anarchism. 이른바 '무정부주의'[3] 운동에 적극 참여했다. '강도 일본'이라는 말을 반복한 것으로 유명한 「조선혁명선언」[1923]은 김원봉의 부탁으로 유자명柳子明, 1894~1985과 함께 작성한 것인데, '강도 일본'의 만행을 규탄하고 민중의 직접혁명을 독려하는 형식으로 구성되어 있다. 이후 신채호는 아나키즘 운동의 자금을 마련하기 위해 활동하다가 체포되어 감옥에서 뇌일혈로 순국했다.

　　주목할 것은 신채호가 초기에는 약육강식을 인정하는 사회진화론에 깊이 심취했다가, 후기에는 사회적·경제적·정치적 강제를 거부하는 아나키즘 활동을 한 점이다. 사회진화론과 아나키즘은 이질적인 사상이므로 이론적으로는 두 가지를 동시에 견지할 수 없다. 그런데 신채호를 비롯한 일제강점기 민족운동가들에게는 그러한 다원성이 적잖게 확인된다. 이념이나 역사관보다 나라와 겨레가 더 중했던 까닭이다.

　　그렇다 하더라도 민중의 힘을 발견하고 아나키즘 활동을 하던 시기 그의 사상은 사회진화론에 심취했던 초기 사상과는 많은 차이가 있었을 것이다. 우리가 흔히 알고 있는 영웅주의·민족주의 저작

3＿＿＿ 아나키즘(anarchism)은 정부를 전적으로 부정하는 것이 이니라 사회 내의 제도들에 대한 정치적·사회적 강제의 폐지를 요구하며, 인간에 대한 강제적 권위행사를 부정하는 사상이므로 무정부주의(無政府主義)라고 표현하면 안 된다는 지적이 있다. 그런데 한·중·일 한자문화권에서는 '무정부주의'로 번안하여 20세기 후반까지 주로 사용했으므로 이와 관련한 글을 쓸 때 '아나키즘'과 '무정부주의'를 혼용할 수밖에 없는 사정이 있다.

은 주로 초기의 것이다. 『조선상고사』의 경우 신채호를 흠모하던 안재홍安在鴻, 1891~1965이 1931년에 『조선일보』에 연재하면서 세상에 나왔지만 대다수 집필은 1920년대 전반까지 이루어진 것이다.

유사역사가들은 이러한 점들을 무시하고 신채호의 이름을 팔아 장삿속을 채운다. 자신들은 신채호의 역사관을 계승한 민족사학·애국사학자이고, 대학에서 역사학을 연구하고 학생들을 가르치는 이들은 식민사학·매국사학자라 매도한다. 그런 소리를 따라 하는 정치인이나 고학력 유명인사도 제법 있는 걸로 봐선 꽤 잘 먹히는 장사전략인 셈이다. "역사를 잊은 민족에게 미래는 없다"는 말을 만들어 내면서 신채호가 했다고 한 것도 그런 장사전략이다(제4장 「"역사는 승자의 기록"이라는 말의 빛과 그림자: 역사기록 회의(懷疑)의 명암」 참조). 사실 저 말은 "민족의 원한을 잊지 말자" "원수를 갚자"는 식의 선동이다. 신채호의 이름을 팔아 민족주의를 과도하게 신봉하는 이들의 불타는 애국심을 자극하는 것이다.

단재 신채호가 위대한 민족운동가이며 위대한 역사가라는 점에 대해서는 반론이 있을 수 없다. 그러나 신채호의 역사서술은 근대역사학의 초보적인 태동기의 작업이라 오류가 많았고. 일제강점기라는 시대상황에도 자유로울 수 없는 면이 있었다. 따라서 신채호의 연구에서 나온 학설 상당수는 오늘날 사료비판에 의해 논파되어 연구사研究史적으로만 언급되는 것이 많다. 신채호로부터 시작된 민족주의 역사학의 정신을 계승했으되 신채호의 말과 글을 그대로

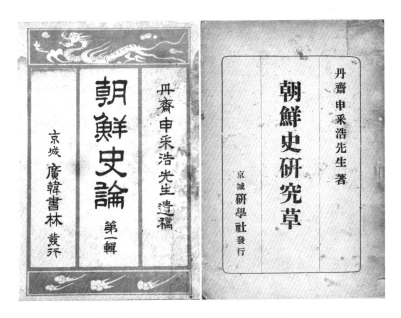

단재의 유고 『조선사론』 제1집 (광한서림, 1946)과 『조선사연구초』(연학사, 1946)
단재의 역사서술은 오늘날 사료비판에 의해 논파되어 연구사적으로만 언급되는 것이 많다.

답습하지 않고 실증의 자세로 민족주의 역사학의 자기극복에 매진
한 결과다.

　'실증'이라는 단어에 '식민사학'이라는 선입견을 가지는 대중이
적지 않은데, 한 역사가의 말처럼 역사학에서 "실증은 선택이 아니
라 의무"다. 한국사를 사랑하는 대중 가운데는 이러한 역사학의 논
의과정을 자세히 알지 못하고 신채호를 손경하는 마음에서 그의 학
설을 금과옥조로 여기는 이가 적지 않은데, 유사역사가들이 이를
기민하게 포착해 신채호의 이름을 팔아 장삿속을 채우고 있는 것이
다. 연구자들이 욕먹는 정도로만 그친다면 그러려니 할 일이지만,

청소년과 대중의 역사인식에 심각한 폐해를 끼치고 있어 간과할 수 없는 문제다. 특히 『삼국사기』와 '삼국통일'에 대한 대중의 부정적 인식은 단재 신채호의 초기 역사관이 낳은 어두운 그림자인데, 이 책 제18장과 제19장에서 자세히 살펴보겠다.[4]

4_____ 단재 신채호의 역사관에 대해서는 박찬승, 「신채호」, 『한국의 역사가 와 역사학』(창작과 비평사, 1994)을 추천한다.

16 / 우리에게 유리한 역사만 가르치고 배워도 될까

「광개토왕비문」 신묘년조의 논란을 중심으로

설민석 선생이 들려주는 역사이야기는 매력이 있다. 필자 같은 역사 전공 교수나 강사는 "설민석 선생님처럼 되세요"라는 덕담(?)을 자주 듣는다. 그것을 굴욕(?)이라 여겨서인지, 역사연구자 가운데 일부는 그의 강연을 평가절하 하지만, 필자는 연구자들이 배울 점도 있다고 생각한다. 설민석 선생은 언제나 청자의 눈높이에 맞게 명쾌하게 설명한다. 연구자들의 설명은 앞서 소개한 독일의 역사학자 랑케처럼 무미건조한 반면, 설민석 선생의 설명에는 랑케에게는 없는 분노와 열정이 있다.

지난 2017년 1월 14일 tvN의 「어쩌다 어른」 67회 '설민석의 식史를 합시다'에서는 「광개토왕비문」의 해석에 대한 논란을 다루었다. 필자의 전공 분야이지만 선생의 설명방식을 배우고자 열심히 들었는데, 기대대로 명쾌했으나 결론이 이상했다. 「광개토왕비문」 연구사研究史에서 빠뜨려서는 안 될 연구를 언급하지 않았는데, 그것이 우리나라에 유리한 것이 아니라서 청중과 시청자가 불편해할 이야기이기 때문이 아닐까 싶다. 이번 장에서는 그처럼 우리나라에 유리하지 않은 논점을 가르치고 배울 것인가 말 것인가 하는 문제를 다루어 볼까 한다.[1]

논란의 핵심문구는 **"백잔신라**百殘新羅 **구시속민**舊是屬民 **유래조공**由來朝貢 **이왜이신묘년래도해**而倭以辛卯年來渡海 **파백잔□□□라이위신민**破百殘□□□羅以爲臣民"이다. 통상적으로 '**신묘년**391**조 기사**'라고 부르는 문장인데, 고대에 왜倭가 한반도 남부를 점령했다는 '임나일본부설'의 근거가 될 수 있어, 지난 100여 년간 한일 역사학계의 주요 논쟁거리가 되었다. 선입견 없이 일반적인 한문해석법대로 하면, "백잔[2]과 신라는 예부터 (우리 고구려의) 속민이라서, 이로 말미암아 조공하여 왔다. 그런데 왜가 신묘년에 바다를 건너와서 백잔과 □□

1 _____ 근자에 설민석 선생이 몇 가지 논란으로 방송하차를 선언했다. 이 장의 내용은 논란이 불거지기 전에 '인문360'에 투고한 것으로, 설민석 선생의 방송강연을 예로 이야기를 풀어놓았지만, 설민석 선생 강연의 독특한 특징이 아니라 대중교양강연의 일반적 경향의 문제를 다룬 것이다. 개인을 비난할 목적 없이 녹자들의 이해를 돕기 위해 대표적 시례로 든 것이므로, 초그의 내용을 그대로 유지했다.

2 _____ '백잔(百殘)': '백제 찌꺼기'라는 뜻으로, 과거 우리가 북한을 북괴(북한괴뢰北韓傀儡)라고 불렀던 것과 유사한 표현법이다. 2003년 개봉한 영화 「황산벌」을 보면 신라군이 백제군을 '백제 찌끄라지'라고 표현하는데, 바로 이렇게 고구려가 백제를 '백잔'이라 불렀던 데서 착안한 것이다.

와 (신)라[3]를 격파하고 신민신하으로 삼았
다"는 뜻이 되기 때문이다.

　1883년경 일본군 참모부 밀정 사코
가게노부酒勾景信 대위에 의해 이 비의 탁
본이 일본학계에 소개되자 일본학계는
흥분의 도가니에 빠졌다. 특히 일제 식민
사학자들은『일본서기』를 보고 고대에 왜
가 한반도 남부를 점령했을 것이라고 생
각하면서도,『일본서기』가 자신들 조상의
일기장인 셈이고 기사 자체의 신빙성 문
제도 있어 확신하기 어려웠던 상황이었
다. 그러던 차에 고구려인이 쓴 비문에서
자신들의 생각에 딱 들어맞는 문구를 발
견했으니 얼마나 감격스러웠겠는가?

벌판에 우뚝 서 있는 광개토왕릉비(일제강점기)
비문의 일부 내용이 임나일본부설의 근거가 될 수 있어
오랫동안 한일 역사학계의 주요 논쟁거리가 되었다.

　한학자이자 민족주의 역사학자인 위당爲堂 정인보鄭寅普, 1893~
1950는 일본인들의 해석이 비문의 맥락을 이해하지 못한 데서 나온 것
이라고 비판하고 새로운 해석문을 제시했다(1955년에 공식인쇄물로 발
표되었지만, 1938년경 작성하여 일찍부터 알려진 것임). 다소 복잡한 해석
인데, 주된 논지는 이 비문이 광개토왕의 업적을 찬양하기 위해 세운

　　　3＿＿ '백잔□□□라': 네모는 판독이 불가능한 글자. 대체로 세 번째 글자
　　　를 '신(新)'으로 추정한다.

것이므로 '무찌른' 주체를 고구려로 보아야 한다는 것이다. 이 해석은
북한학계의 김석형金錫亨, 1915~1996과 박시형朴時亨, 1910~2001이 계승
하여, 고대에 우리민족이 왜에게 압도적인 승리를 거둔 사실을 입
증해 주는 근거로 들기도 했다.

광개토대왕비 신묘년조 기사 부분의 탁본
(주운태 체탁, 1981)

정인보의 해석: "… 그리하여 왜는 일찍이 신묘년에 [고구려]
에 가서 침범하고 [고구려도 또] 바다를 건너 [왜를] 무찌르고,
백잔은 [왜와] 내통하여 신라를 침범했다. [태왕은] 신민(인
백잔과 신라가 왜 이런 일을 하는가) 라고 생각했다."

김석형의 해석: "… 그런데 왜가 신묘년에 [고구려에] 왔으
므로 [고구려는] 바다를 건너 백잔을 쳐부수고 신라를 □□
하여 [백잔과 신라를] 신민으로 삼았다."

박시형의 해석: "… 그런데 왜가 신묘년에 [고구려에] 왔으
므로 [고구려는] 바다를 건너 [왜를] 쳐부수었다. 백잔이 왜
를 불러들여 [신]라를 침략하여 신민으로 삼았다."

그러나 일본학계가 정인보 등의 해석에 귀
를 기울일 리 없다. 따라서 한일 역사학계의 추
후 연구경향도 평행선을 달릴 뿐이었다. 그러던
중 1972년에 이르러 재일한국인 사학자인 이진

희李進熙, 1929~2012가 깜짝 놀랄 새로운 문제제기를 했다. 이른바 '비문변조설'인데, 비문 표면에 석회가 발린 것으로 보아 누군가에 의해 비문의 조작이 가해졌고, 조작주체는 비문의 탁본을 일본학계에 처음 소개한 사코 대위가 소속된 일본군 참모본부로 추정된다는 것이 요지다. 일본학계는 반론을 시도했으나 이진희의 재반론으로 공방을 거듭했고, 일본 내 대학에서도 이진희의 학설에 동의하는 학생이 적지 않아 어려움을 겪기도 했다. 이에 일부 양심 있는 일본인 연구자들은 그동안의 편협한 연구시각을 반성해야 한다는 입장을 표명하기도 했다.

정확한 연구사를 소개하느라 설명이 길어졌는데, 설민석 선생은 이진희 선생이 비문변조 사실을 밝혀냈다고 소개한 후, 정인보 선생의 해석(실제로는 박시형의 해석을 소개함)대로 고구려가 왜를 무찌른 것이 분명하다고 설명하여 청중과 시청자로부터 분노와 열정을 불러일으켰다. 설민석 선생의 설명대로라면, 처음에는 일본인들의 후안무치한 행태에 분노했다가 결말에 이르러 안도하고 나아가 고구려의 승리에 감동하게 된다. 그런데 무언가 좀 이상하지 않은가? 이 글의 행을 넘기기 전에 그 이상한 것이 무엇인지 잠시 고민해 주기 바란다.

답은 정인보 등의 해석과 이진희의 비문변조설을 모두 취할 수는 없다는 것이다. 비문이 변조되었다면 일본인들의 해석은 물론이

중국 지린성 광개토대왕릉비 탁본 작업 모습(1918)

고 정인보 등의 해석도 의미가 없다. 변조되었다고 생각하는 글자의 원형을 복원하지 못한다면 이 문구는 해석할 수 없는 것으로 남을 수밖에 없다. 그래서인지 변조된 글자의 원형을 복원했다고 주장하는 이도 나왔다. 2018년 1월 3일 JTBC의 「차이나는 클라스」 43회에 서예가인 전북대학교 중어중문학과 김병기 교수가 출연해, 비문변조설에서 지목한 핵심문구인 '도해파渡海破'를 '입공우入貢于'로 복원(?)하여, "왜가 신묘년 이래로 백제와 가야와 신라에게 조공을 들여놨으므로 (고구려가) 일본을 신민으로 삼아줬다"고 해석했다. 그러자 패널들의 박수가 쏟아졌는데, 설민석 선생이 불러일으킨 분노와 감동을 능가했다.

그런데 현재 역사학자 가운데 이진희의 비문변조설을 따르는 이는 거의 없다. 1980년대에 중국학자 왕젠췬王健群의 조사를 통해 비문변조설의 핵심근거인 석회 도포塗布가 문구조작 의도에서 비롯된 게 아닌 것으로 확인되었기 때문이다. 왕젠췬은 6개월 동안 비문 근처에서 숙식하면서 비문을 탐사하고 인근 주민과 인터뷰하여, 석회 도포가 일본군 참모본부의 소행이 아니라 비문을 탁본하여 팔던 초씨 부자초천부, 초균덕의 소행이라는 것을 밝혀냈다. 즉 대량으로 탁본을 찍으려고 석회를 바른 것이니, 그 과정에서 변개될 가능성이 있기는 하지만 고의적인 비문조작은 아니라는 연구 결과다.

한학자이자 민족주의 역사학자 정인보
'국학(國學)'이라는 말을 처음 사용했으며, 정확한 사료에 근거한 우리 역사를 연구했다.

그렇다면 판독과 해석은 다시 원래대로 돌아올 수밖에 없겠다. 이러한 연구사를 거치면서 정인보 등의 해석에 문제가 많음이 지적되었다. 정인보의 해석은 일반적인 한문해석법을 따른 것이 아니라 문장 내에 중요단어가 많이 생략되었다는 전제에서만 가능한 것이므로 설득력이 떨어진다. 당대 최고 한학자인 정인보의 해석이라는 게 믿기지 않을 정도인데, 아마도 민족의식이 많이 앞섰던 모양이다. 결국 논쟁은 다시 우리가 수세에 몰릴 처지인데, 다행히도 지금은 일본학계에서도 과거처럼 터무니없는 억지를 부리지는 않는다. 물론 극우파 연구자들은 임나일본부설을 고수하지만, 양심적인 학자도 존재한다.[4]

현재 이 문구에 대한 한일 역사학계의 통설은, 해석은 100여 년전 일본인들이 한 해석대로 하되, 실상은 비문을 작성한 고구려인의 과장과 우김이 반영되었다고 이해하는 것이다. 우선 백제가 예로부터 고구려의 속민이라는 것부터 실제 사실과는 동떨어진 것이다.

속민이 아니라 숙적으로, 오히려 광개토왕의 조부인 고국원왕 故國原
王, 재위: 331~371을 죽음으로 몬 불구대천의 원수였다. 그랬기 때문에
백잔, 즉 백제 찌꺼기라고 쓰지 않았겠는가?

　　주목할 점은 이 신묘년[391]**조 문구가 영락 6년**[396] **광개토왕의 출
병을 기술한 문장 바로 앞에 쓰였다는 것이다**(이를 학술적으로는 '전치문
(前置文)'이라고 한다). **즉 출병의 정당성을 갖추기 위해 우기고 과장한
것이다.** 다시 말해 백제와 신라가 원래 자신들의 속민이었는데 상황
이 바뀌어 우리 광개토대왕께서 출병하여 토벌했다고 서술한 것인
데, 상황이 바뀐 까닭을 설명하면서 '원래 속민이었던' 백제와 신라
의 위상을 높이기는 싫어서 차선책으로 왜를 높여놓은 것이다. 왜
를 그냥 굴러온 개뼈다귀로 취급한 게 아니라 강력한 악의 축, 즉 트
릭스터로 묘사했는데, 그래야 이어지는 내용의 토벌 사실이 빛난다
고 여긴 것이다.

　　이처럼 광개토왕의 출병사실을 기술하기 전에 그 까닭을 먼저
쓰는 방식은 영락 20년조의 "동부여구시추모왕속민 東夫餘舊是雛牟王屬
民 …" 구절에도 등장한다. "동부여는 옛날 추모왕의 속민이었는데
중간에 배반하여 조공을 바치지 않으므로 왕께서 몸소 군대를 이끌
고 가 토벌하셨다"고 서술했는데, 동부여가 추모왕의 속민이라는

---

4 ＿＿ 재일 한국인 사학자인 이성시는 『만들어진 고대: 근대국민 국가의
동아시아 이야기』(삼인, 2001)에서 신묘년조 해석을 두고 벌어진 한·일 양국
연구자들의 논쟁이 순수한 역사적 사실의 탐구가 아니라 '근대 일본'의 욕망
과 이를 부정하려는 '근대 한국'의 욕망이 서로 대립해온 과정이었음을 지적
했다.

것을 역사적 사실로 보기 어려우므로 이 역시 신묘년
조 문구처럼 출병의 명분을 갖추기 위한 선전문구일
것이다.

왕젠췬이 쓴
『광개토왕비연구』(역민사, 1985)

이렇게 보면, 나름 합리적인 해석이 가능하지
만, 솔직히 말해 우리 입장에선 불편한 게 사실이다.
고구려의 과장과 우김이 반영되었다는 것은 해석일
뿐이고, 비문상으로는 왜가 백제와 신라 등을 신민으
로 삼았다는 것이 역사적 사실처럼 해석될 여지가 있
기 때문이다. 그래서인지 아직도 많은 아마추어 역사
논객들은 비문변조설을 고수하는데, 설민석 선생과
김병기 교수의 강연도 그런 경향과 맞닿아 있다.

그러나 불편하고 불리하다고 해서 마냥 숨길 수만은 없다. 범죄
수사기법이 발달하여 범죄자가 빠져나갈 구멍이 점점 줄어드는 것
처럼 학문과 외교도 과학적 연구방법과 정보의 발달로 불리한 것을
무작정 숨길 수 없기 때문이다. 일제강점기 민족정신이 힘을 잃었
던 시대에는 유리한 것만 뽑아서 민족정신을 고취할 필요가 있기도
했다. 하지만 지금은 그럴 필요도 없고, 그래서는 오히려 낭패를 겪
을 수 있다. 「광개토왕비문」의 연구사에 해박한 지식을 갖춘 일본인
들과의 토론에서 왕젠췬의 연구에 대한 설득력 있는 반론을 준비하
지 않고 무턱대고 비문변조설만 고수하다가는 국제망신을 당할 수
도 있다.

그래서 필자처럼 한국고대사를 전공하는 연구자들은 설민석 선생이나 김병기 교수와 달리 이처럼 불편하고 불리한 이야기를 늘어놓는 것이다. 연구자들의 이런 불편한 설명에 대해, 이른바 자칭 '애국사학·민족사학'을 표방하는 유사역사가들과 그에 경도된 이들은 지속적으로 비난을 퍼부어왔다. 그 가운데는 터무니없는 인신공격도 있지만, "일본의 총리 등이 과거사 문제에 대해 한 치의 반성도 없이 뻔뻔한 자세를 보이고 독도가 자기네 땅이라 우기는 상황에서, 우리에게 유리한 것만 뽑아 설명해도 모자랄 판에 굳이 불리한 걸 들춰내는 걸로 보아 식민사학의 후예임이 틀림없다"는 그럴듯한 비판(?)도 있다. 연구자들은 객관적으로 바라보려고 노력한다고 항변하지만 그것은 사태 파악을 잘못하는 것이고, 오히려 우리에게 유리한 것을 부각해 애국심을 고취하는 것이 올바른 대처방법이라는 주장이다.

오해는 마시라. 한국사 전공 연구자 대다수는 '맹목적인 애국주의'를 경계하지만, 거의 어김없이 어린 시절부터 '국뽕'이었고, 지금도 그 애국심을 여전히 놓지 않고 있다. 연구자들 역시 "일본에게는 가위바위보도 질 수 없다"고 생각하고, 이승엽의 홈런과 박지성의 골 장면을 수십 번씩 돌려보고 가슴 뿌듯해한다. 나만 연구자들이 자칭 애국사학·민족사학자들과 다른 점은, 우리에게 유리한 것만 뽑아서 가르치는 편협한 애국심은 독이 될 수 있다고 생각하는 것이다.

물론 국제관계의 이권이 걸려 있는 문제에서는 불리한 것을 자발적으로 드러내는 것이 좋지 않을 때도 있다. 가령 독도문제에 있어 우리가 굳이 일본의 주장을 부각할 필요는 없다. 하지만 일본이 도대체 무엇을 근거로 그런 주장을 하는지는 가르치고 배워야 할 필요가 있다. 우리는 흔히 일본인들이 아무런 근거 없이 독도가 자기네 땅이라고 우긴다고 생각하지만, 허튼 주장일망정 그들 나름의 논리가 있고, 운이 나쁘면 국제여론이 그에 현혹될 위험도 있다. 따라서 이제는 무작정 유리한 것만 찾지 말고 그들이 내세우는 근거가 무엇인지 파악하고, 우리에게 불리한 점은 없는지 살펴서 대처할 수 있는 역사교육이 필요하다.

임나일본부설과 유사역사

한국사 전공자 가운데 '임나일본부설任那日本府說'을 모르는 사람은 없지만, 명쾌하게 설명할 수 있는 이는 많지 않다. 『민족문화대백과사전』의 설명대로 "왜가 4세기 중엽에 가야 지역을 군사적으로 정벌해 임나일본부라는 통치기관을 설치하고 6세기 중엽까지 한반도(조선) 남부를 경영했다는 설로 '남선경영론南鮮經營論'이라고도 한다"홍익대학교 김태식 교수 집필고 할 수 있지만, 상세히 설명하려면 공부할 것이 매우 많기 때문이다.

근자에 〈한일역사공동연구위원회〉에서 앞으로는 임나일본부설을 주장하지 않기로 한일 양국 연구자들이 합의했다는 보고가 있어 이제는 단지 역사시험에만 나올 뿐 논란은 종식되었다는 인식이 있지만, 일종의 오보였다. 실상은 우리 측의 요구와 일본 측의 무응답이었던바, 일본인들의 뇌리에는 임나일본부설이 여전히 살아 있다. 일본학계에서는 '남선경영'이라는 표현을 '한반도 진출'이나 '영향력 행사'로 바꿔 부르는 등 수위를 조금 낮추기는 했어도 다수의 연구자가 임나일본부설의 기본 시각을 따르고 있다. 또한 일본의 중고등학교 역사교육에서도 임나일본부설이 여전히 큰 영향력을 미치고 있어, 일본의 대중 대다수는 자신들의 선조가 한반도 남부를 정말로 정벌한 줄 안다.

우리나라에 『환단고기』 같은 위서偽書의 내용을 보고 허튼 자부심을 느끼는 이가 있는 것처럼 일본에도 『일본서기』의 조작된 한일고대관계에 자부심을 느끼는 사람들이 적지 않은데, 극우 정치인이나 장사꾼이 그런 이들의 심리를 악용하여 부추기기도 한다. 반면 우리나라의 유사역사가사이비역사가들은 임나일본부설의 터무니없는 주장에 분노하는 대중의 감정을 악용하여, 우리나라의 역사학계가 임나일본부설을 추종하는 식민사학의 무리라며 선동하고 있다.

'임나일본부설'은 쉽게 말해 '임나'에 '일본'이 '부府, 막부(幕府) 같은 관청'를 설치했다는 '설'이다. 사료상 '임나'는 가야의 여러 나라를 통칭하기도 하고, 그 가운데 한 나라를 지칭하기도 한다. 애국사학자라 자처하는 한 유사역사가는 '임나일본부'라는 이 다섯 글자가 모두 불편했는지, '임나'라는 단어에서부터 과민반응을 보인다. 가야를 임나라고 쓰는 사람은 이유 불문하고 임나일본부설의 추종자라고 강력히 주장한다. 혼자만의 주장이 아니라 이를 따라 신문이나 매스 미디어에 멋모르고 용감하게(!) 글을 쓰는 논객도 꽤 많다. 과연 그럴까?

'임나'라는 단어 대다수는 『일본서기』에 등장하고, 따라서 일본학계가 주로 쓰는 것이다. 한 연구자가 『일본서기』를 펼쳐놓고 꼼꼼히 세어 보니 215회나 나온다고 한다. 그런데 '임나'라는 단어는 우리나라의 역사 기록에도 등장한다. 『삼국사기』 강수 열전에 태종무열왕이 강수強首, 삼

창원 봉림사지 진경대사 탑비
탑비에는 진경대사가 '임나의 왕족'이라는 기록이 있다.

국통일기 신라의 문장가, ?~692에게 이름을 물으니 "신은 원래 임나가량任
那加良 사람으로, 이름은 우두牛頭입니다"라고 대답한 기록이 있다. 또
한 「광개토왕비문」 영락 10년400조에 광개토왕이 신라를 구원하러 보
낸 군대가 임나가라任那加羅의 종발성從拔城에 이르렀다는 기록이 있고,
「창원 봉림사지 진경대사 탑비」에도 주인공 진경眞鏡대사가 '임나의 왕
족'이라는 기록도 있다. **세 사료를 종합하면 임나는 가야의 별칭이었음
이 확실하다.**

이처럼 '임나'는 우리나라에서도 썼던 고유명사이므로, '임나'라는 단어 자체는 식민사학과 아무런 관련이 없다. 임나에 일본이 (식민지배) 관청을 설치했다는 주장이 문제일 뿐이다. 그런데 이상하게도 유사역사가와 그 추종자들은 임나가 가야와 무관하며, 임나가 가야라는 사람은 식민사학자라고 한다. 왜가 임나에 식민지배 관청을 설치했다는 『일본서기』의 기록을 보고 '애국심'이 끓어올라 뭐라도 해야 할 것 같아 그러는 게 아닐까 싶은데, 참으로 답답한 사람들이다.

유사역사가들은 임나일본부설의 논리를 뒤집어 백제와 가야가 일본열도에 식민지를 건설했다고 주장하기도 한다. 백제가 왕자를 왜에 인질로 보낸 기록에 대해, 인질이 아니라 왜국이 백제의 식민지라서 총독을 파견한 것이라고도 한다. 이 책의 독자인 전공 학생과 교양인들은 그런 주장을 그대로 믿지 않겠지만, 적지 않은 대중은 그런 화끈한(?) 주장에 열광하는 면도 있다. 유사역사가들은 대중의 그런 심리를 파고드는 것이다.

임나일본부설의 주장근거와
그에 대한 반론

임나일본부설의 주요 근거로는 대체로 첫째, 『일본서기』의 '임나' 관련 기록, 둘째, 『광개토왕비문』의 신묘년 기사, 셋째, 『송서宋書』 왜국전倭國傳의 왜왕 책봉기사, 넷째, 백제와 신라에서 왜에 인질을 보낸 기록, 다섯째, 『일본서기』의 '칠지도七支刀' 관련 기록 등이 거론된다.

임나일본부설은 신공神功, 진구황후가 신라를 정벌했다거나 가야 지역에 임나일본부를 설치하여 지배했다거나 하는 『일본서기』의 거짓 기사를 그대로 믿는 데서 나왔는데, 사실과 거짓이 매우 교묘하게 섞여 있어 단박에 무너뜨리기는 쉽지 않다. 『광개토왕비문』의 신묘년 기사는 앞서 살펴보았듯이 광개토왕의 업적을 드높이기 위해 과장한 데서 비롯되었지만, 일단 문구 자체는 왜가 백제와 신라 등을 신민으로 삼았다고 해석될 수 있어 우리로서는 골치 아픈 사료다. 『송서』 왜국전의 기사와 백제·신라의 인질 기록도 우리로서는 매우 난감하다. 중국 남조의 유송劉宋이 왜왕에게 신라·임나·가라·진한·모한 등을 관할하는 장군 작호를 내려주었고, 백제와 신라가 인질을 일방적으로 보내기만 했을 뿐(백제와 신라가 왜에 인질을 보낸 사실은 『일본서기』뿐 아니라 『삼국사기』

와 『삼국유사』에도 등장한다) 받은 적은 없기 때문이다. 칠지도 문제는 다소 복잡한데, 『일본서기』에는 백제왕이 천황에게 칠지도를 바쳤다고 되어 있다.

물론 저 기사들은 각각 사료비판을 해보면, 임나일본부설의 확고한 근거가 되지 않는다. 먼저 『일본서기』 기사의 맥락을 살펴보면 상식적으로 이해되지 않는 점이 수두룩하다. 가령 왜가 심혈을 기울여 가야의 여러 나라를 정벌해 놓고 아무런 대가 없이 그걸 그냥 백제에게 줘버렸다는 식의 내용이 많다. 이런 데서 『일본서기』의 임나 정벌 기사가 역사적 사실이 아니라 조작임을 미루어 짐작할 수 있다(「광개토왕비문」의 신묘년 기사에 대해서는 본문에서 살펴본 바와 같다).

왜왕이 중국 남조의 송나라유송로부터 신라·임나·가라·진한·모한 등을 관할하는 장군 작호를 얻은 것은 실제 국제관계의 역량을 인정받은 것이 아니라 줄기찬 노력(?) 끝에 허명虛名을 얻은 것에 불과하다. 더군다나 진한과 모한은 당시 이미 실체가 없었다. 유송은 처음에 왜의 요구를 들어주지 않다가 공손한 요청이 계속되자 마지못해 요청한 작호명에서 백제를 빼고 승인해 주었다. 당시 백제왕도 유송으로부터 장군 작호를 받았는데, 왜왕이 받은 작호보다 높은 것이었다. 즉 백제는 유송과의 외교관계가 있으므로 빼고 나머지 여러 나라는 유송이 잘 모르는 나라이므로 "옜다, 너 가져라" 해버린 것이다.

백제와 신라가 왜에 일방적으로 인질을 보내기만 한 것은 당시 삼국이 치열한 다툼을 했고, 더군다나 고구려가 강성하여 백제와 신라를 압박한 데 원인이 있다. 즉 백제와 신라가 왜를 자기 쪽으로 끌어들이려

일본에 전해진 백제의 유물 칠지도

일본 덴리시(天理市)의 이소노 카미 신궁(石上神宮)에 소장되어 있다.

고 인질외교를 한 것이므로, 인질을 보낸 사실만으로 왜가 백제·신라보다 우위라고 단정할 수 없다. 또한『일본서기』에는 외교사절을 인질이라고 조작한 경우도 있으므로 가려 읽을 필요가 있다.

칠지도는 임나일본부설의 근거 가운데 하나로 거론되었지만, 반대로 백제가 왜를 제후국으로 여겼다는 근거로 제시할 수도 있다. 백제왕이 천황에게 칠지도를 바쳤다는『일본서기』의 기록과는 달리, 현존하는 칠지도에는 제후국의 왕에게 줄 만해서 백제 왕세자가 왜왕을 위해 만들었다는 문구가 새겨져 있기 때문이다. 그 때문에 견해차이가 생겼는데, '백제가 왜에 하사했다는 설백제 하사설', '백제가 왜에 바쳤다는 설백제 헌상설', '중국 남조의 동진東晋이 백제를 통해 왜에 하사했다는 설' 등 세 가지 설이 있다. 우리나라 연구자들은 대체로 칠지도 명문을 근거로 '백제 하사설'의 입장인 데 반해, 임나일본부설을 고수하는 일본 연구자들은 칠지도 명문을 무시하거나 판독과 해석을 달리하고 '백제 헌상설'이나 '동진 하사설'을 주장한다.

우리나라의 한국고대사 연구자들은 임나일본부설이 사료비판을 제대로 하지 않은 데서 나온 무리한 주장임을 입증하기 위해 많은 노력을 기울여 왔고, 그로 인해 지금은 일본학계에서도 터무니없는 주장을 많

이 누그러뜨린 상태다. 현재까지 나온 임나일본부
설에 대한 반론 가운데 가장 주목 받는 것은 두 가
지로, 언론인이자 역사가인 천관우千寬宇, 1925~1991
선생이 낸 '백제 군사령부'라는 설과 일부 일본학
자들과 우리나라 가야사 연구자들이 주장하는 '왜
의 사신단'이거나 '왜의 외교기관 또는 교역기관'
이라는 설이다.

언론인이자 역사학자 천관우
실학이 조선의 내재적 발전 결과임을 주
장했고, 임나일본부설에 대한 주목할 만
한 반론을 제시했다.

천관우의 '백제 군사령부설'은 '임나일본부'가
원래는 백제의 군사령부라는 해석으로, 쉽게 설명
하면 원래는 정벌의 주체가 '백제'인 것을 『일본서
기』 편찬자들이 '왜'로 바꾸어 조작해 놓았으므로
다시 '백제'로 고쳐보면 실제 역사를 복원할 수 있
다는 시각이다. 왜가 가야의 여러 나라를 정벌해
서 백제에게 주었다는 『일본서기』의 조작과정을 풀어낸 탁견인데, 다만
이 시각으로 해명할 수 없는 문제가 남아 있어 어느 정도 한계가 있다.

'왜의 사신단'이거나 '왜의 외교기관 또는 교역기관'이라는 해석은 임
나일본부라는 단어의 '부府'가 일본 고대의 용례로는 통치기구가 아니
라 '천황의 의지를 전달하는 사람, 즉 사신'일본 발음으로는 '미코토모치'을 뜻
했다는 점에 주목한 것이다. 이런 시각의 연구자들은 이 해석으로 임나
일본부설 논란이 종결되었다고 자부하는데, 과연 그럴지는 의문이다.
백제 군사령부설과 마찬가지로 모든 기사를 해명할 수 없기 때문이다.

종합하면, 임나일본부설에 대한 현재 한·일 학계의 연구는 첫째, 종

래의 임나일본부설을 고수하는 일본 학계의 입장, 둘째 백제 군사령부설을 토대로 하는 해석, 셋째 왜의 사신단, 외교기관, 교역기관으로 보는 해석 등 세 가지 경향이 맞서는 상태다.

그밖에 북한학계의 김석형이 낸 '분국설分國設'도 알아둘 필요가 있다. 임나일본부설의 논리를 뒤집어 삼한·삼국이 일본 열도 전역에 분국分國을 설치했다는 주장인데, 터무니없는 주장을 하던 일본학계에 경종을 울린 의의가 있으나 학문적으로는 입증이 불가능하다. 임나일본부설의 논리를 뒤집어 백제와 가야가 일본열도에 식민지를 건설했다거나 백제가 왜에 총독을 보냈다는 유사역사가들의 주장은 이 분국설을 흉내 낸 것이다.

17 / '민족주의'와 '국뽕'

앞 장에서 설민석 선생의 강연을 예시로 「광개토왕비문」 신묘년조 기사를 둘러싼 한·중·일 학계의 논박과 그것을 대중에게 소비하는 방송강연과 역사교육의 문제를 다루었다. 2020년 연말 설민석 선생의 '벌거벗은 세계사' TV강연에 대해 역사왜곡 논란이 불거진 후 그의 강연방식에 대해 언론과 학계, 교육계 등에서 많은 지적을 했다. 당사자가 사과하거나 자잘한 문제 외에, 주로 많이 지적한 것은 '기·승·전·국뽕'이라 할 정도의 과도한 민족주의 성향의 역사관이었다. 앞 장의 내용 역시 역사교육에서 '우리에게 유리한 것'만 뽑아서 가르치는 문제를 지적했으므로 그와 비슷한 맥락이지만, 필자는 민족주의 성향 자체가 문제라 여기지는 않으므로 이번 장에서 좀 더 깊이 다루고자 한다. 필자의 논조는 우리에게 불편하고 불리하지만 숨기기 어려운 것을 무작정 숨기는 게 능사가 아니라는 취지인데, 일부 논객은 '민족주의' 자체를 문제 삼았다.

'민족'은 누구나 다 아는 단어이지만, 학술적으로는 매우 난해한 용어다. '종족'과 동일시하는 이가 적지 않지만, 학술적으로는 대체로 '민족'과 '종족'을 구분한다. **'종족'은 혈통을 중시하는 데 반해 '민족'은 역사적 형성과정을 중시한다. 즉 '민족'은 '역사·문화공동체'를 이르는 말이다.** 일부 연구자는 '민족'이 근대 용어라는 점을 지적하며 그 전에는 형성되지 않았다고 주장하는데, 그에 대한 반론도 만만치 않다. 일찍부터 실제로 존재했느냐 아니면 근대 이후 '상상된' 혹은 '발명된' 것이냐 하는, 방대한 지식이 필요한 전문적인 논쟁이다. 하지만 겁낼 필요는 없다. 전문가가 아니라도 '민족'이 뭔지 모르는 것은 아니니까.[1]

'민족주의'는 서양말인 내셔널리즘nationalism**을 번안한 단어인데, 내셔널리즘은 '민족주의'뿐 아니라 '국가주의', '애국주의'로 번역되기도 한다.** 세심한 독자들은 바로 이 점에서 왜 적지 않은 사람들이 '과도한 민족주의'를 경계하는지 눈치 챘을 것이다. 바로 국가중심주의적 사고이기 때문이다. 이렇게 말하면 그게 왜 문제냐고 반분하

---

1 _____ '민족'과 '민족주의'에 대해서는 많은 논저가 있는데, 역사를 깊이 공부하는 교양인이나 역사를 전공하는 대학 1학년 학생 수준에 적합한 글로 박찬승 교수의 『민족·민족주의』(소화, 2016)를 권할 만하다.

3·1절 기념행사 장면 (2013)
민족 개념은 공동체를 유지하는 데 여전히 유효한 가치를 지닌다.

는 독자도 있을 텐데, 확실히 문제가 있기는 하다. 가령 19세기 후반부터 20세기 전반까지의 제국주의 침탈과 세계대전을 떠올려 보자. 그 시기 우리처럼 나라를 잃거나 국가존망이 흔들리는 약소국의 애국주의는 자기방어를 위한 슬로건이었지만, 제국건설을 기도하는 강대국의 애국주의는 정권강화와 외부침략에 협조하는 선전도구였지 않은가.

이와 같은 문제는 오늘날에도 해소되지 못하고 오히려 강화된 면이 있는데, 그런 면을 지적하며 해결책을 제안하는 목소리가 나왔다. 서강대 사학과 임지현 교수의 주장이 대표적인데, 남한-북한-중국-일본의 국가권력이 각국의 '민족주의'를 기반으로 '적대적 공범관계'를 형성해 왔으므로, 앞으로는 '민족주의'와 '국사'를 폐기하고 동아시아 공동체를 이룩해야 한다는 제안이다.[2] 이런 문제 제기와 제안에 대해 대구가톨릭대 역사교육과 강종훈 교수는 그것이 방향을 잘못 잡은 것이라 반론하면서, 민족은 우리의 현실에서 아직도 유효한 가치를 갖고 있으며, 민족주의 사학 역시 개방된 민족주의를 바탕으로 새롭게 변신할 필요가 있을 뿐 그 자체를 폐기할 것은 아니라고 지적했다.[3]

　　필자는 강종훈 교수의 지적이 타당하다고 보지만, 임지현 교수의 주장 가운데 동아시아 4국이 저마다 적대적 민족주의를 고취해 온 폐해를 지적한 것은 음미해 볼 필요가 있다고 본다. 이 장의 논제인 우리나라의 '국뽕'[4]이 바로 임지현 교수가 지적한 적대적 민족주의의 사례이기 때문이다. 그런데 과도한 반일·반중 감정을 드러내는 적대적 민족주의를 임지현 교수의 해결책, 즉 탈민족주의와 국

2＿＿　임지현, 『민족주의는 반역이다』(소나무, 1999); 임지현, 「'국사'의 안과 밖−헤게모니와 '국사'의 대연쇄」 『국사의 신화를 넘어서』(휴머니스트, 2004).

3＿＿　강종훈, 「최근 한국사 연구에 있어서 탈민족주의 경향에 대한 비판적 검토」 『한국고대사연구』 52(2008).

4＿＿　'국뽕'은 잘 알다시피 국(國)과 뽕(히로뽕)을 합성한 속어다. 유래를 정확히 알 수는 없지만 대체로 〈디시인사이드 역사갤러리〉의 회원들이 처음으로 널리 쓰기 시작했다고 알려져 있고, 현재는 『위키백과』 등에 신조어로 등재되어 있기도 하다. '국뽕'의 성격은 위서(僞書)인 『환단고기』를 신봉하는 '환빠'와의 관계 등 단순하게 정리하기 어려울 정도로 다양한 스펙트럼이 있는데, 지면상 더 다루기는 어렵다. 『환단고기』가 왜 위서인지 궁금한 독자에게는 이문영 작가의 『유사역사학 비판』(역사비평사, 2018)을 권한다.

사 해체로 해소할 수 있을까? 다른 면은 몰라도 역사교육에서는 그다지 효험이 있어 보이지는 않는다.

　　중고등학교 역사 담당교사들의 고백을 들어보면, 역사에 관심이 많은 학생이 극소수이고, 그 극소수 학생들마저 대개 '국뽕' 성향이라 수업하는 데 어려움이 있다고 한다. 필자가 처음 대학 강사가 되어 맡았던 한국사 강의에서도 대다수 학생은 필수과목이라 마지못해 듣는 식이었고 열심히 하는 학생은 극소수였다. 당시 필자는 중국과 일본의 한국사 왜곡을 조사하고 정리하라는 과제를 냈는데, 가장 열심히 하던 학생이 "우리민족은 중국대륙에서 왔으므로 중국 땅은 회복해야 할 고토이며, 일본인들은 한반도에서 건너갔으므로 일본 땅은 우리 것이다"는 취지의 보고서를 제출했다. 이에 필자는 "반대 논리로 중국이 한반도를 자기네 것이라고 하고 일본이 한반도를 회복해야 할 고토라고 하면 어쩔 터인가?" 하고 면박을 주었는데, 학생이 수긍하지 않고 수강포기를 한 씁쓸한 기억이 있다. 돌이켜 보니 필자가 현명하게 대처하지 못한 게 아닌가 싶다. 학생 다수가 역사에 관심이 적은 풍토에서 그나마 애정이 깊은 학생이었기 때문이다.

　　사실 그 학생의 주장은 서로 길항관계모순관계인 논지가 함께 들어가 있는 점 말고는 그리 독특한 것이 아니다. 거의 유사한 주장이 학문형식을 띤 어른들의 논의에서도 나왔고, 그에 동조하는 이가 적지 않은 것을 확인할 수 있다. 언어인류학과 고고학을 전공한 김인희 박사의 『치우, 오래된 역사병』 푸른역사, 2017에 따르면, 치우蚩尤, 중국 고대신화에 등장하는 인물를 신봉하는 타이완의 유심성교라는 종교단체에서는 현재의 중국 영토에서 활동하던 치우가 한국인의 조상이므로 한국인 또한 중화민족의 일원이라고 주장하는데, 우리나라에서 치우를 한국인의 조상이라 주장하는 이들(우리나라 축구 국가대표 서포터즈인 '붉은 악마'가 치우를 상징으로 쓰는 것이 이런 발상에서 나왔다)은 치우의 활동지로 지목된 산둥성 일대가 고대 한국인의 영토이니 우리가 회복해야 할 고토라 여긴단다. 어떤가? 비슷하지 않은가?

　　탈민족주의와 국사 해체가 시급하다고 부르짖는 연구자들은 민족주의가 정치·종교와 결탁하여 많은 문제를 일으키고 있는 점을 지적한다. 그런데 잠깐 시선을 바꾸어보자. '민족'이라는 단어에 가슴 뜨거워지고 애국심에 불타오르는 현상도 과연 그런 불순한 의도와 관련 있을까? 특히 자라나는 청소년의 '국뽕심'은 그런 정치이데올로기가 아니라 소박한 자기애와 '빠문화'의 발로인 경우가 많다. '우리 오빠'에 대한 애정이 넘쳐 '남의 오빠'와 그 추종자를 무턱대고 적으로 돌리는 것이 문제이지, '우리 오빠'를 사랑하는 자체가 죄악은 아니지 않은가?

　　다만 이렇게 다수의 국뽕을 빠문화로 바라볼 경우에도 짚어야할 것이 있다. 열성적인 오빠부대와 단순한 팬의 차이를 연상해 보시라. 대개 전자가 현실의 팍팍함을 더 많이 느끼고 그것에 더 깊이 빠져들지 않는가? 국뽕 현상 역시 이런 경향과 무관하지 않다. 국뽕의 입문 계기는 연령별로 다소 차이가 있는데, 노년층 국뽕은 식민지 현실과 전쟁, 가난 등을 경험한 열등감을 탈피하는 방식이라는 지적도 있다.

하지만 젊은이들은 그런 열등감이 별로 없다. 올림픽 경기를 예로 들면, 예전에는 1등을 못했다는 이유로 고개 숙인 은메달리스트가 많았지만, 근래에는 그런 경우가 거의 없다. 국가대표 축구의 경우 과거에는 경기 내용을 불문하고 패배가 곧 역모처럼 취급되었지만, 근자에는 최선을 다한 패배에는 "졌잘싸졌지만 잘 싸웠다"라면서 격려한다. 예를 들어 1969년에 있었던 월드컵 최종예선에서 페널티킥을 실축한 임국찬은 살해위협을 당하고 이민을 가야 했지만, 2002년 부산아시안게임 준결승에서 실축한 이영표를 비난한 사람은 거의 없었다. 이영표는 월드컵 4강으로 이미 병역특례를 받았지만 대박이 아빠 이동국은 월드컵 때 대표로 뽑히지 못했으므로 병역특례를 받으려면 반드시 금메달을 따야 했다. 결국 이영표의 실축으로 동메달에 만족해야 했는데, 누리꾼들은 이영표의 그 실축에 특별한 이름을 붙여주었다. '이동국 군대가라숏'이었다.

필자가 생각건대, 현대 한국사회에서 더 경계해야 할 것은 국뽕 성향이 아니라 공동체의 안녕을 도외시하는 개인주의 성향이다. 따라서 어린 학생들의 국뽕심을 현학적 교화 대상이나 박멸 대상으로 삼을 것이 아니라 그 가운데 긍정적인 에너지를 살려서 바람직한 방향으로 인도하는 노력을 기울일 필요가 있다고 본다. 다만 어떻게

2002년 월드컵 시기 서울광장에 운집한 시민들
스포츠는 애국심을 건강하게 표출하는 하나의 통로이기도 하다.

인도할 것인가가 문제인데, "우리나라가 세계에서 가장 아름다운
나라가 되기를 원한다"고 한 백범 김구의 글에서 힌트를 얻을 수 있
다. 학생들에게 백범 김구처럼 '내가 원하는 우리나라'가 어떤 것인
지 진지하게 고민하도록 해보면 어떨까? 가령 동네사람들이 돌아
가신 자신의 할아버지를 무서운 사람으로 기억하면 좋겠는지, 아니
면 진심으로 그리워해주면 좋겠는지 물어보고, 우리가 세계인에게
어떤 민족으로 비춰지길 원하는지 고민해 보게 하는 것은 어떨까?
건전한 국뽕이라면 아마도 세계인이 두려워하는 한민족이 아니라
세계인에게 사랑받는 한민족을 꿈꾼다고 말할 것이다.

18 / 김부식과『삼국사기』에 대한 몇 가지 오해

단재 신채호는 우리민족이 열등하고 약소한 족속이 아니라 우등하고 강대한 족속이라고 주장한 사상가로서, 그런 우등·강대한 민족이 왜 식민지 족속으로 전락했는지 설명해야 할 당면과제를 안고 있었다. 그에 대한 답으로(우리나라가 식민지로 전락한 원인으로) 신채호는 고구려의 멸망과 묘청妙淸의 좌절을 꼽았다. 사실 나라를 빼앗긴 주된 원인은 가까운 시기, 즉 조선후기부터 구한말에 이르기까지의 악정惡政에 있었지만 패배의식을 조장할 수도 있다는 우려 때문인지 신채호는 원인을 먼 시기에서 찾았던 것이다. 특히 묘청의 난(신채호의 표현은 '서경전역')이 진압된 것을 민족정기가 궤멸된 안타까운 사건, 즉「조선 역사상 일천년래 제일대사건」이라 평가하여, 난을 진압한 정부군政府軍의 사령관인 김부식金富軾, 1075~1151을 민족정기를 궤멸시킨 민족반역자로 여겼으며 나아가 그가 지은 『삼국사기』는 사대주의事大主義에 빠진 저급한 역사서로 폄하했다.

　김부식이 사대주의자이며, 『삼국사기』가 사대주의적 입장에서 서술했다는 평가에 대해서는 반론도 적지 않지만 틀린 말은 아니다. 김부식이 직접 쓴 『삼국사기』 논찬사론에서 고구려와 백제가 중국에 사대를 제대로 하지 않아 망했다고 선언했기 때문이다. 그런데 중화사상을 기반으로 한 중국적 세계질서가 지배한 전근대 동아시아 국제사회의 외교에서 '사대'는 선택할 수 있는 것이 아니라 피할 수 없는 현실이었다. 조선 건국 직후 국시國是로 삼은 것이 사대교린·숭유억불·농본이었으니 말해 무엇하랴. 심지어 현대의 국제질서도 팍스 아메리카나Pax Americana의 허울 아래 '사대'가 작동하고 있는 것이 엄연한 현실이다.

　문제는 '사대事大'라는 말의 '뉘앙스'다. 신채호의 언급뿐 아니라 "양키 고 홈"을 외치던 1980년대 젊은이들의 열정과 뒤섞여, 현대의 교양인 다수는 '사대주의자'라는 단어를 들으면 외세를 업고 부당한 권력을 행사하는 독재자나 권력에 기생하는 간신의 이미지를 떠올린다. 그러나 『고려사』 김부식 열전을 살펴보면, 국왕인종의 외할아버지이자 장인인 이자겸의 권세가 하늘을 찌르자, 다수의 신하들이 이자겸에게 아부하려고, 이자겸은 임금에게 예를 올리지 않아도 되는 특별법을 제정하자고 발의하고 이자겸의 생일을 국경일로 삼자고 발의하자, 매번 김부식이 먼저 나서서 강력하게 반대하여

김부식 표준 영정(권오창, 1993)

김부식은 인종의 명령을 받아 1145년에 기전체 역사서 『삼국사기』를 편찬했다.

저지한 것이 확인된다. 또한 사대주의는 유교적 도덕주의의 입장에서 나온 것이므로 당시로서는 '도덕적'인 것이었다. 그러한 입장은 김부식 혼자만의 생각이 아니라 당시의 국왕과 신하들이 공감하는 바였다. 또한 당시의 관료 가운데 우리나라의 역사에 크게 관심을 두는 이는 별로 많지 않았던 풍토도 확인된다.

김부식의 『진삼국사표』
『삼국사기』를 진헌하면서 올린 표(表)로 편찬 동기와 경위 등이 밝혀져 있다.

… 성상폐하聖上陛下께서는 요堯임금과 같은 문사文思를 타고나시고 우禹임금과 같은 근검勤儉을 체득하시어, 정무에 골몰하던 여가에 전고前古를 두루 살펴보시고 **"요즈음의 학사學士와 대부大夫 중에 오경五經, 제자諸子와 같은 책이나 진秦·한漢 역대의 역사에 대해서는 두루 통달하고 상세히 설명하는 자가 간혹 있으나, 우리나라의 일에 대해서는 도리어 아득하여 그 처음과 끝을 알지 못하니 참으로 한탄스럽다"**고 말씀하셨습니다. 하물며 생각건대, 신라·고구려·백제가 나라를 세우고 솥발처럼 대립하면서 예를 갖추어 중국과 교통했으므로, 범엽范曄의 『(후)한서漢書』나 송기宋祁의 『(신)당서唐書』에는 모두 열전列傳을 두었는데, 중국의 일만을 자세히 기록하고 외국의 일은 간략히 하여 갖추어 싣지 않았습니다. 또한 그 고기古記라는 것은 글이 거칠고 졸렬

하며 사적事跡이 누락되어 있어, 임금된 이의 선함과 악함, 신하된 이의 충성과 사특함, 나라의 평안과 위기, 백성들의 다스려짐과 혼란스러움 등을 모두 드러내어 경계로 삼도록 하지 못했습니다.

김부식이 『삼국사기』를 완성하여 국왕에게 바치면서 첨부한 글인 「진삼국사표進三國史表」의 문장이다. 따옴표와 굵은 글씨 부분은 성상폐하, 즉 고려 인종의 말을 인용한 것으로 되어 있는데, 학계에서는 김부식이 자신의 생각을 인종의 명의로 쓴 것이거나 인종과 김부식이 공유한 시각으로 이해한다. 김부식의 주장인 셈인데, 그렇더라도 언급한 비판 대상인 '학사와 대부'가 직접 열람할 수 있는 공식문서이므로 없는 사실을 꾸며 쓴 것은 아닐 것이다. 이처럼 중국의 역사와 문화에 매료되고 우리나라 역사·문화에 소홀한 것은 당시 관료사회의 일반적 풍토였고, 김부식은 그런 가운데서도 나름의 문제의식을 가진 사람이었다.

유의해서 살펴볼 것은 끝부분의 "그 고기古記라는 것은 글이 거칠고 졸렬하며 사적事跡이 누락되어 있어서, 임금된 이의 선함과 악함, 신하된 이의 충성과 사특함, 나라의 평안과 위기, 백성들의 다스려짐과 혼란스러움 등을 모두 드러내어 경계로 삼도록 하지 못했습니다"라는 말이다. 이것이 바로 『삼국사기』의 저술목적이며 역사관이다. 이러한 기준에 따라 김부식은 사료를 선택했고, 때로는 기사의 내용을 합리적으로 고쳐 쓰기도 했다. 실례를 들어보겠다.

가-1. "여름 4월에 구름과 안개가 사방에서 일어나 사람들은 7일 동안이나 빛을 분별하지 못했다. 가을 7월에 성곽과 궁실을 지었다."

___「삼국사기」 시조 동명성왕

가-2. "7월에 검은 구름이 골령에 일어나서 사람들이 그 산은 보지 못하고 오직 수천 명 사람의 소리가 토목土木 공사를 하는 것 같이 들렸다. 왕이 '하늘이 나를 위하여 성을 쌓는 것이다'라고 했다. 7일 만에 운무가 걷히니 성곽과 궁실 누대가 저절로 이루어졌다. 왕이 황천께 절하여 감사하고 나아가 살았다."

___「동국이상국집」「동명왕편」

나-1. "왕은 몸이 몹시 크고 담력이 남보다 뛰어났다. ___「삼국사기」 지증마립간

나-2. "왕은 음경(陰莖)의 길이가 1자 5치가 되어 배필을 얻기 어려웠다."

___「삼국유사」 지철로왕

다-1. "왕은 특이한 기골을 가졌고 몸이 컸으며 의지가 굳고 식견이 뛰어났다." ___「삼국사기」 진평왕

다-2. "왕은 키가 11척이며 내제석궁을 밟자 돌사닥다리가 한꺼번에 두 개가 부러졌다." ___「삼국유사」 천사옥대

가-1과 가-2, 나-1과 나-2, 다-1과 다-2는 각각 같은 내용을 달리 서술한 것인데, 가-2, 나-2, 다-2의 「동명왕편」과 『삼국유사』의 기록이 원래 기록(이전부터 내려오던 『구(舊)삼국사』와 고기(古記)의 기록)에 가깝다. 김부식은 성곽·궁실·누대가 저절로 이루어졌다

거나 사람의 음경이 1자 5치라거나 키가 11척이라는 것이 현실에서는 있을 수 없으므로 나름 합리적인 표현으로 바꾸어가며 『삼국사기』를 저술했고, 이러한 것들보다 더욱 황당한 것은 아예 싣지 않았다. 「동명왕편」을 지은 이규보와 『삼국유사』를 지은 일연은 김부식의 이러한 역사관에 반대하는 입장에서 원래의 문장을 되살려 쓴 것이다.

김부식의 역사관에서 비롯된 문제들, 즉 기사 선택의 편중성이나 삭제 등에 대해서는 얼마든지 비판할 수 있고, 필자 같은 한국고대사 연구자 대다수도 신채호와 같은 비판의식을 갖고 있다. 그러나 유학자의 입장에서는 김부식처럼 하는 것이 당연했다. 조선시대 역사가인 권근權近, 1352~1409과 안정복安鼎福, 1712~1791은 김부식이 위와 같이 비합리적인 것들을 좀 더 철저하게 삭제하지 못하고 굳이 실었다고 신랄하게 비판했다. 한쪽에선 원래대로 쓰지 않았다고 비판하고 다른 한쪽에서는 그걸 굳이 왜 썼냐고 비판했으니 아무에게도 욕먹지 않고 모두를 만족시키는 글을 쓰는 일은 어쩌면 불가능한 일인지도 모르겠다.

김부식과 『삼국사기』와 관련한 또 하나의 오해는 김부식이 『삼국사기』를 편찬하고 난 뒤 저술에 참고했던 사서들을 모두 없애버렸다는 이야기다. 막연하게 항간에 떠도는 이야기가 아니라 역사학자들의 논저에도 나오는 말인데, 필자가 조사한 바로는 이런 말이 구체적으로 적시된 최초의 논저는 함석헌咸錫憲, 1901~1989의 『뜻으로 본

한국역사』다. 사실 이는 함석헌이 신채호의 글을 오독한 데서 비롯된 해프닝이다. 신채호는 "선유先儒, 옛 유학자들이 말하되 삼국의 문헌이 모두 병화兵火에 없어져 김부식이 고거考據, 상세히 살피고 검토하여 근거나 증거로 삼음할 사료가 부족하므로 그의 편찬한『삼국사기』가 그렇게 소루疏漏, 꼼꼼하지 못하고 거침함이라 하나, 기실은 역대의 병화보다 김부식의 사대주의가 사료를 분멸焚滅, 불질러 없앰한 것이다"라고 말했는데, 함석헌이 이 글을 오독하여 구체화했던 것이다.

신채호의 표현은 김부식이 역사가로서의 책무를 게을리했다는 비판이다. 즉 김부식이『삼국사기』에 원래의 소중한 기록들을 일일이 다 수록해 두었더라면 설령 역대의 병화로 이전의 사서들이 없어졌다 하더라도 내용은 알 수 있을 텐데 사대주의적 사관으로 그것을 적지 않았으니 기록을 잃은 책임에서 김부식이 자유로울 수 없다는 뜻이다. **그런데 함석헌은 '분멸'이라는 말 그대로 김부식이 사료를 불질러 없앴다고 읽었던 것이다.**

역사를 사랑하는 현대 교양인의 관념으로는 역사를 편찬하고 그와 관련된 다른 역사서를 없앤다는 것이 이해되지 않을 수도 있겠지만, 전근대 중국에서는 실제로 그런 일이 여러 번 자행되기도 했다. 대표적인 사례로 당 태종이『진서晉書』를 편찬한 후 그밖의 진나라 역사에 관한 책을 샅샅이 찾아서 모두 없애버린 것을 들 수 있다. 당 태종은 자신이 몇 군데 논찬한 것을 자랑하여『진서』를 '어찬御撰'이라 했으므로,『진서』외의 진나라 역사서가 존재하는 것은 자신의 위신을 떨어뜨리는 것이라 생각했던 모양이다. 청나라 건륭제 시기

『사고전서』 편찬 때도 유사한 일이 있었는데, 이 경우는 만주족인 청 황실의 위상을 높이려 는 목적과 관련이 있다.

하지만 김부식은 당 태종과 청 건륭제 같 은 황제가 아니라 일개 신하일 뿐이므로, 당시 까지 전해 온 사서들을 찾아서 분멸할 지위에 있지 않았으며 그럴 이유도 없었다. 『삼국사 기』 이후로 이규보가 『동국이상국집』을 쓰고 일연이 『삼국유사』를 쓰는 것이 가능했던 사실 로도 김부식이 죽은 후 이규보와 일연의 시대 까지 『구삼국사』나 여러 고기古記, 옛 기록들이 남 아 있었다는 것을 미루어 짐작할 수 있다.

『삼국사기』 편찬 당시 존재했던 사서들이 후대까지 전하지 않은 것은 특별한 현상이 아

일연 표준 영정(정탁영, 1985)
고조선에서부터 후삼국까지의 신화, 설화, 민담 등 유사(遺事)를 모은 『삼국유사』를 편찬했다.

니라 전근대 시대에는 흔한 일이었다. 책의 보존이 용이하지 않은 점도 있고, 베스트셀러만 남고 나머지는 잊히는 까닭도 있다. 『삼국 사기』만 남고 『구삼국사』는 전하지 않는 것은 아마도 그런 까닭일 것 이다. 『삼국사기』의 경우에도 후세까지 전하지 못할 것을 우려한 조 선 태조 때 경주부사 김거두金居斗와 중종 때 경주부윤 이계복李繼福 이 중간重刊, 새로 인쇄하여 전체 내용을 보존할 수 있었는데, 당시에도 완질完帙을 구하는 데 어려움을 겪었던 사례가 있다(『삼국유사』의 전문 (全文)이 전하는 것도 이계복이 완질을 어렵게 구해 중간한 덕분이다). 중국의

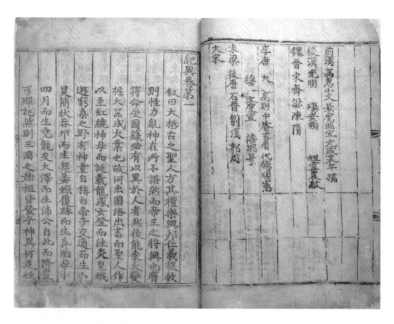

국보로 지정된 『삼국유사』 파른본

중종 임신본보다 앞서 간행된 조선 초기본으로 학술적 가치가 높다.

경우 『후한서』의 사례를 들 수 있다. 범엽范曄, 398~445이 『후한서』를 저술하기 전에 적어도 7명 이상의 역사가가 『후한서』를 지었는데, 범엽의 『후한서』만 남고 이전의 7종류의 책은 온전하게 전하는 것이 하나도 없고 청나라 경학자 혜동惠棟의 『후한서』 주석에서 그 조각들을 확인할 수 있을 뿐이다.

사실 김부식과 『삼국사기』에 대한 비판을 하려면 끝이 없을 정도로 많다. 앞서 언급했듯이 신채호에 앞서 일찍이 이규보와 일연부터 그런 비판의식을 드러냈고, 20세기 이후의 역사연구자 사이에서도 비판적인 논평이 끊이지 않고 있다. 대표적인 예로 최남선이 "만일 『삼국사기』와 『삼국유사』 중 어느 하나밖에 지니지 못할 경우가 있다 하면 대부분이 중국의 서적을 끌어다 쓴 『삼국사기』를 내어놓고(잡지 않고) 비록 내용이 충실하지 못할망정 조금이라도 본래의 맛을 전하는 『삼국유사』를 잡는 것이 마땅하다"(현대어법으로 고침)고 한 것이다. 그런데 문제는 적지 않은 이들이 그런 비판만 받아들이고 『삼국사기』를 절대로 읽어서는 안 되는 책처럼 취급한다는 점이다. 그런 인식에는 언제나 『삼국사기』는 사대적이고 『삼국유사』는 자주적이라는 선입견이 동반된다.

사실 최남선의 말은 우리의 전통문화와 사상을 깊이 검토하는 연구자의 입장에서 『삼국사기』에 비해 『삼국유사』를 그동안 소홀히 대해왔던 점을 지적하고 『삼국유사』의 소중함을 강조한 것이다. 즉 『삼국사기』와 『삼국유사』를 모두 꼼꼼히 검토한 연구자의 입장과 『삼국사기』의 중요성에 대해서는 굳이 강조할 필요가 없었던 전통시대의 경향이 전제前提된 입장 표명이었던 것이었다. 오늘날에 있어서는 『삼국사기』와 『삼국유사』 가운데 어느 것이 더 소중한가 하는 물음은 부질없는 것이다. 자칫하면 어느 한쪽의 '분멸'로 나아가기 때문이다. 이에 대해 필자가 대학원 재학 시 은사에게 들은 논평을 소개하고자 한다. 따라 해도 좋은 말이 아닐까 싶다.

"『삼국사기』와 『삼국유사』는 한국고대사를 이끄는 두 수레바퀴다."

『삼국사기』초기기록 논쟁과
유사역사

『삼국사기』와 관련한 논의에서 빼놓을 수 없는 것은 『삼국사기』초기기록 논쟁'이다. 일제 식민사학의 왜곡에서 비롯된 것인데, 오늘날 유사역사가들이 제 입맛대로 악용하면서 역사학계를 매도하는 주 메뉴 가운데 하나다. 『삼국사기』초기기록'은 『삼국사기』에 나오는 삼국 초기에 해당하는 기록을 말하는데, 대체로 고구려본기의 태조왕太祖王, 재위: 53~146, 백제본기의 고이왕古爾王, 재위: 234~286, 신라본기의 내물왕㮮勿王, 재위: 356~402 이전 기록을 말한다.

이 시기의 기록을 살펴보면 왕을 비롯한 인물들의 수명이 지나치게 길거나, 왕명王名이 후대의 왕들과 유사하거나, 중국기록과 사료충돌하는 경우가 있어 신빙성을 따져보아야 하는 것들이 적지 않다. 일제 식민사학자들은 이런 점들을 지적하며 『삼국사기』초기기록이 탁상에서 나온 조작이라고 주장하고, 더 나아가 백제와 신라의 건국시기를 수백 년 늦춰 잡는 방식으로 우리나라 역사를 왜곡했다. 이를 학문적으로는 '『삼국사기』초기기록 불신론'이라고 한다.

이 『삼국사기』초기기록 불신론은 말도 안 되는 헛소리지만 유의할

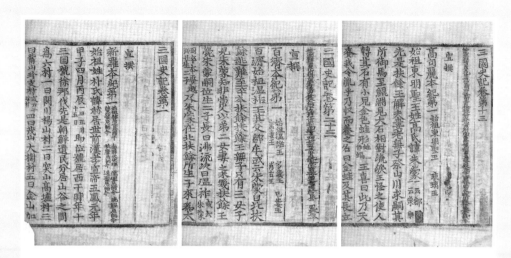

『삼국사기』 중종 임신본

1512년 조선 중종 때 이계복이 중간한 완질본으로 현재까지 최고본(最古本)으로 알려져 있다.

점이 있다. 일제 식민사학자들이 『삼국사기』 초기기록이 신빙성이 있다고 믿으면서 본심과 달리 신빙성이 없다고 한 게 아니라는 점이다. 일본 근대역사학의 개척자로 불리는 시게노 야스쓰구重野安繹의 경우, 하나부터 열까지 모든 것을 의심하고 실존을 부정하여 '말살박사'로 불렸는데, 일제 식민사학자들 가운데 상당수는 그런 시각을 물려받아 『일본서기』 등 자국 역사서의 신빙성도 의심했다. 그런 그들이 『삼국사기』 초기기록의 비합리적 기사와 중국사서와 사료충돌하는 기사를 못 믿는 것은 어쩌면 당연한 일이었을 것이다.

또 하나 유의할 것은 『삼국사기』 초기기록의 비합리적 기사가 『삼국사기』를 편찬한 김부식이 임의로 조작한 게 아니라는 점이다. 가령 『삼국사기』 고구려본기 태조왕 70년기원후 122조에는 "마한이 백제 온조왕

27년기원후 9에 멸망했는데 이제 고구려왕과 함께 군사행동을 하게 되었으니 아마도 멸망했다가 다시 일어난 것일까?" 하는 찬자의 의문제기가 있다. 백제 관련 사료에서는 온조왕 27년에 마한이 이미 망한 것으로 되어 있는데, 95년 뒤에 고구려 관련 사료에 마한이 다시 등장하고 있으니 혹시 다시 일어난 것인가 하는 해석이다. 이런 점에서『삼국사기』초기기록 중 비합리적 기사와 사료충돌하는 기사는『삼국사기』찬자가 조작한 것이 아니라『삼국사기』편찬 시에 남은 사료들의 상태가 그러했다는 것을 미루어 짐작할 수 있다.

해방 후 우리 학계는 이러한『삼국사기』초기기록 불신론의 허구성을 비판하고 삼국 초기기록을 구명하기 위해 노력해 왔다. 그리하여 나온 양대 견해가 '**『삼국사기』초기기록 긍정론**신빙론'과 '**『삼국사기』초기기록 수정론**'인데, 다수의 연구자는 '수정론'의 입장이다.

전자의 '긍정론신빙론'은 사실 말이 긍정론 혹은 신빙론이지 완전히 긍정하고 신빙하는 견해는 아니다. 그럼에도 긍정론 혹은 신빙론이라 명명하는 이유는『삼국사기』에 보이는 삼국의 건국시기와 발전단계 등의 기본틀을 긍정하고 세부적인 비합리적인 기사에 대해 나름의 합리적 해석을 곁들이기 때문이다. 반면 후자의 '수정론'은 대체로 삼국의 건국시기나 발전단계를 다소 늦추어 보는 경향인데, 연구자마다 다양한 시각이 있어 하나로 묶기 어려운 면도 있다. 필자의 은사인 노중국 교수계명대학교 사학과 명예교수가 제안한 '분해론'의 경우 수정론의 대표적 연구 가운데 하나로 꼽히지만 건국시기를 그대로 인정하자는 입장이라 오히려 긍정론에 가깝다는 해석도 있다.

이 '수정론'의 주된 근거는 중국정사인 『삼국지』 동이전 한조마한·진한·변진에 보이는 한반도 남부 여러 나라의 존재 양상이다. 『삼국사기』에서는 1세기 초인 온조왕 27년에 마한 전역을 아우른 것으로 나타나지만, 『삼국지』 동이전에서는 3세기인 중국 삼국시대에 마한 지역에 50여 국이 존재했고, 백제는 그 가운데 하나였으며, 더군다나 그 가운데 맹주국이 백제가 아니라 목지국으로 나온다. 신라의 전신前身인 사로국도 이와 유사하게 진한 12국 가운데 하나로 등장한다.

이에 대해서는 같은 수정론의 입장이라도 학자마다 견해차이가 있는데, 모두가 동의할 만한 견해는 아직 없으며, 경우에 따라서는 너무 과도하게 확대해석했거나 일제 식민사학자들의 시각과 유사한 연구결과를 내기도 했다. 유사역사가사이비역사가들은 이런 점을 파고들어 '수정론'의 입장인 연구자들을 일제 식민사학의 후예로 매도한다. '수정'해 보는 시각 자체가 의심하면서 시작된 것이니 『삼국사기』 초기기록을 의심하고 불신한 식민사학자들과 무엇이 다르냐는 식이다.

하지만 이는 논점을 벗어난 비학문적 주장이다. '수정론'의 『삼국사기』 초기기록 재해석이 식민사학의 『삼국사기』 초기기록 불신 행태와 유사하다는 지적은 일견 그럴듯하지만, 실상은 근본적인 차이가 있다. 식민사학의 '불신론'은 우리 역사를 폄하하는 시각에서 나온 반면, 우리 학계의 '수정론'은 사료충돌, 모순 또는 비합리적인 기사 등에 대해 사료비판을 한 결과이기 때문이다. 역사학 본연의 임무가 기록에 대한 무조건적인 신뢰보다는 사료비판을 통한 사실규명이 우선이라는 점에서 오히려 합리적인 접근방식이라 할 것이다.

언급한 바와 같이 모두가 동의하는 견해는 아직 없으므로, 개별적인 연구결과의 타당성을 논하는 것은 얼마든지 가능하며 그러한 논박에서 학문이 발전할 수 있다. 하지만 '일제 식민사학' 타령을 하는 것은 자신의 논지가 박약함을 스스로 깨닫고 선동하는 것이다. 이 책의 독자들은 그런 선동에 현혹되지 않고 학문적 논의에 집중할 것이라 믿는다.

19

고구려의 역사·문화는
통일신라를 통해 우리에게 전해졌다

'삼국통일 부정론'의 망상

신라의 삼국통일은 우리나라 역사에 애정이 깊은 대중들이 비합리적 역사평가를 하는 대표적 사례다. 전근대로부터 오늘날에 이르기까지 역사연구자 대다수는 삼국통일을 긍정적으로 평가했다. 부정적인 평가를 한 연구자는 신채호와 그의 시각을 답습한 이뿐인데, 적지 않은 수의 역사애호가가 그를 따라 삼국통일의 의의를 폄하하고, 김춘추와 김유신을 민족의 배반자로 여긴다. 동북공정 같은 중국의 역사왜곡에 대한 반발심으로, 삼국통일을 긍정적으로 평가하는 이를 매국노 취급하기도 한다. 삼국통일과 관련한 인터넷 뉴스나 칼럼의 댓글창 대다수는 신라인들을 비난하는 글이 수천 개에 달하고, 삼국통일과 전혀 관련 없는 뉴스·칼럼에도 '신라'가 등장하면 그런 일이 빈번하다.

수천 개 댓글의 비판(?) 논조는 한결같다. 당나라를 끌어들여 백제와 고구려를 멸망시켰다는 것과 그 때문에 고구려의 넓은 영토를 잃어버렸다는 것이다. 그러나 삼국시대 사람들에게는 '국가'의 존립이 중요했지 '민족'의 번영은 고려 대상이 아니었다. 더군다나 고구려와 백제의 지배세력은 부여에서 나왔다는 공통점이 있지만 신라의 지배세력은 두 나라와 계통이 달랐다. 고구려 왕실과 같은 혈통임을 자처하는 백제의 왕들이 국체보존을 위해 북위北魏, 중국 남북조시대 북조의 패권국에 고구려를 정벌해 달라고 요구하고, 수隋나라의 고구려 침략에 길잡이가 되기를 자청할 정도였으니, 신라가 외세에 기대어 백제와 고구려에 대응하려 한 것은 그리 특별한 일도 아니었다. 백제는 청병에 실패한 반면, 신라는 성공한 차이일 뿐이다. 또한 고구려 영토를 차지하지 못한 것을 탓하는 것도 무리한 책임추궁이다. 당시 세계 최강국이었던 당나라가 고구려·백제뿐 아니라 신라까지 삼키려는 야욕을 품고 있었고, 그런 현실에서 신라가 고구려·백제 영토를 모두 온전히 아우르는 것은 사실상 불가능한 일이었다. 오히려 당나라를 상대로 한 전쟁나당전쟁에서 승리하여 대동강 이남의 영토와 우리의 정체성을 보전한 신라인들에게 고마워해야 할 일이다.

한 역사가의 말처럼 나라는 본디 스스로 무너진 이후에 다른 사람이 와서 파괴하는 법이다. 백제와 고구려는 자멸이라 말해도 무방할 정도로 지배층 내부의 모순이 극심했던 반면, 신라의 지배층은 최상층 진골귀족이 자신의 아들을 전쟁의 희생양으로 삼는(반굴

매소성 전투 기록화(오승우, 1975)

675년(문무왕 15) 나당전쟁 중 신라군이 매소성(買肖城: 지금의 경기도 양주)에서 당나라 군대와 싸워 대승을 거뒀다.

(盤屈), 관창(官昌), 원술(元述) 등의 사례를 들 수 있다), 오늘날의 관념으로는 이해하기조차 힘든 국가의식을 갖고 있었다. 그런 점들을 간과하고 무작정 비난하는 것은 역사에 대한 안목이 부족하기 때문이다.

그런데 학계 내의 학문적 논의에서도 이런 시각을 바탕으로 한 문제제기가 있다. '삼국통일'로 부르는 것이 타당하냐는 것이다. 우선 완전한 통일이 아니라는 점에 대해서는 큰 이견이 없다. 중고등학교 국사교과서의 목차에서 삼국시대 이후를 '통일신라와 발해'로 지칭하고 내용상으로도 '불완전한 통일'이라는 문구가 자주 언급되었던 것은 학계의 그러한 일반적인 시각이 반영된 것이다. 그런데 이 점을 지적하면서 신라가 고구려의 영토와 역사·문화는 전혀 통합·계승하지 못하고 백제만 통합했다는 견해가 있다. 해당 연구자가 '(신라의) 백제통합론'이라고 자칭하여 다른 연구자들도 편의상 명칭을 따라 쓰는 견해다. 논자 스스로 일제 식민사학에 맞서 싸운 신채호와 백남운을 홀로 사숙私淑, 직접 가르침을 받지는 않았지만, 그 사람의 행적이나 사상 따위를 마음속으로 본받아서 도나 학문을 닦음했다고 밝히고 있어 대중들이 적잖게 공감하는 견해다.

그러나 학계 내에서는 소수의견일 뿐이다. 이 견해백제통합론는 1980년대 후반에 처음 제기하여 이후 30여 년 동안 20여 편의 논고로 거듭 재론한 것이지만, 주목하는 연구자가 거의 없었다. 그러던 것이 근자에 들어 다른 연구자가 이 견해의 기본 입장에 동의하면서 세부적인 견해차를 지적한 것(편의상 '삼한일통의식 9세기 성립설'로 지칭하는 견해다)을 계기로 격렬한 논쟁이 진행되고 있다. 처음에는 양자 사이의 논쟁이던 것이, 이후 '삼국통일'로 부르는 것이 타당하다고 생각하는 또 다른 연구자들이 양자 모두를 비판하면서 논쟁이 확대되었고,[1] 그런 중에 전쟁 당사자인 당나라를 빼놓을 수 없다는 생각에서 '동북아시아(혹은 동아시아) 전쟁' 같은 제3의 명칭으로 부르자

1 _____ 필자도 '삼국통일'로 부르는 것이 타당하다는 입장에서 2020년 『한국고대사탐구』 34집에 「648년 당태종의 '평양이남 백제토지' 발언의 해석과 효력 재검토 - '신라의 백제통합론'과 '삼한일통의식 9세기 성립설'에 대한 비판을 중심으로 - 」라는 논문을 발표했다(한국고대사탐구학회 편, 『고대 군사사와 동아시아』(경인문화사, 2020)에 재수록).

는 견해들도 나왔다. 이 가운데 '삼한일통의식 9세기 성립설'은 사료 해석에 오류가 많아 동의하는 이가 거의 없고, 제3의 명칭으로 부르자는 견해들은 논쟁의 초점을 벗어났으므로, 여기서는 백제통합론의 문제점을 중심으로 살펴보고자 한다.

백제통합론의 주요 논지는 신라가 삼국을 통일하려 한 것이 아니라 처음부터 백제만 병합하려고 했고, 전쟁의 결과도 처음의 계획과 부합하며, 신라인들의 '삼한일통의식'은 "실제와 다른 결과에 대한 일종의 허위의식"이라는 것이다. 또한 고구려·백제 멸망 이후는 신라와 발해가 공존한 남북국시대이므로 '통일신라'라고 불러서는 안 된다고 한다. 일견 그럴듯하지만 하나하나 따져보면 모두 타당치 못하다.

먼저 신라가 처음부터 백제만 병합하려고 했다는 것은 무의미한 지적이다. 역사는 인간 활동을 바탕으로 진행되는 것인바, 인간사에서 '꿈'은 시작과 끝이 항상 합치되는 것이 아니라 움직이기도 하는 것이기 때문이다. 한 가지 꿈을 이루면 새로운 꿈을 꾸고 다시 그것을 이루기 위해 정신과 육체를 가다듬는 것이 모범적 인간의 자세라 할 것이다. 가령 대제국을 건설한 영웅들의 역사를 살펴보면, 대다수가 처음에는 소박한 꿈을 꾸다가 성취를 거듭하면서 새로운 꿈을 꾸고 마침내 대제국을 이룬 경우가 많다. 설령 처음부터 대제국 건설의 원대한 꿈이 있었다 하더라도 그것은 속내로만 그칠 뿐 겉으로 내보일 수 있는 것이 아니었다.

이처럼 '백제통합'만이 신라의 시종 일관된 목표였다고 판단하는 것은 인간 본성을 고려하지 않은 도식적인 해석에 불과하다. 백제통합론에서는 신라의 고구려병합을 부정하기 위해 김춘추가 고구려에 먼저 청병한 사실을 강조한다. 그러나 김춘추가 고구려에 청병하러 간 것은 고구려를 우호적인 나라로 생각하고 백제만 멸망시키려 했던 데서 비롯된 것이 아니라, 망할 위기에 몰린 나라의 생존과 불구대천의 원수를 갚기 위해 지푸라기라도 잡는 심정으로 간 것이다. 즉 처음에는 고구려의 힘을 빌려 백제를 병탄코자 했지만, 출발 당시에도 청병실패 가능성이 높다고 보았고, 결국 한동안 억류되기만 했을 뿐 별다른 소득을 얻지 못하고 고구려가 적대국이라는 사실만 확인하고 돌아왔다는 점이 더 중요하다. 김춘추가 고구려로 떠날 때 김유신에게 "나와 공은 한몸으로 나라의 고굉股肱, 임금이 가장 믿고 중히 여기는 신하이 되었다. 내가 만일 저곳에 들어가 해害를 당한다면 공은 무심無心할 것인가?" 하니 김유신이 "공이 만일 가서 돌아오지 못한다면 나의 말발굽이 반드시 고구려·백제 두 임금의 뜰을 짓밟을 것이다. 정말 그렇게 하지 못한다면 장차 무슨 면목으로 국인을 대할 것인가?" 하는 문답을 주고받은 사실『삼국사기』 김유신 열전 상에서 김춘추가 청병실패 가능성을 염두에 두었다는 것을 확인할 수 있다.

전쟁의 결과도 그에 부합한다는 지적은 김춘추가 당나라에 갔을 때 당나라 황제 태종 이세민이 "내가 (고구려·백제) 양국을 평정하면 '평양이남·백제토지'는 아울러 너희 신라에게 주어 길이 편안케

하려 한다"고 한 발언의 '평양이남·백제토지'를 다른 연구자들과 달리 해석하여 억지주장을 하는 것과 표리를 이루고 있다. 대다수 연구자가 '평양이남**과** 백제토지'로 해석해 대동강 이남을 주겠다고 약속했다고 이해한 것을 '평양이남**의** 백제토지'로 달리 해석해 당 태종이 임진강 이남을 주겠다고 약속했다고 주장하는 것이다. 그러나 해당 연구자의 논문들에서 세 번이나 '임진강'이 아니라 '대동강' 이남이라고 명기한 적도 있는바, 본인도 무슨 말을 하는지 혼동할 정도로 견고하지 못한 해석이다.[2]

사실 당 태종이 대동강 이남을 주겠다고 약속했든 임진강 이남을 주겠다고 약속했든 역사 전개에서는 큰 의미가 없다. 당나라는 당 태종의 약속을 지킬 생각이 전혀 없었고 신라까지 삼킬 목적이었기 때문이었다. 사실 저 말은 당 태종이 고구려에 쳐들어갔다가 안시성에서 곤욕을 치르고 돌아온 뒤 신라를 후방 지원부대로 삼을 목적으로 김춘추를 설득하려고 사탕발림한 말에 불과했다. 즉 '평양이남·백제토지'의 핵심은 '백제토지'가 아니라 '평양'에 있는바, 당 태종의 발언은, 자신은 영토에 욕심이 없으므로 심적으로는 고구려 토지와 백제토지 전부를 너희 신라에게 주고 싶지만 고구려 왕성인 평양은 양보하기 어려우므로 그 이하는 너희 신라에게 모두 주겠다

2＿＿ 필자의 이러한 지적에 대해 백제통합론의 논자는 필자의 글을 인용하면서 필자가 자신의 글을 오독했다고 주장했는데, 이는 자신에게 불리한 내용을 '중략'으로 처리하면서 왜곡한 것이다. 중략한 부분을 복원하면 오독이 아닌 것이 드러난다.

는 취지의 지키지도 않을 약속이었던 것이다.[3]

신라인들의 '삼한일통의식'은 '실제와 다른 결과에 대한 일종의 허위의식'에 불과하다는 주장은 영토문제를 지적하는 것으로, 이 또한 '평양이남·백제토지'가 '대동강' 이하가 아니라 '임진강' 이하라고 주장하는 것과 표리를 이루고 있다. 전쟁 이전에 임진강 이북까지는 고구려의 영토였으므로 대동강 이하로 이해하면 고구려의 영토 일부를 신라에 주기로 한 셈이기 때문이다. 백제통합론에서는 당 태종과 김춘추의 전후 영토분배 약정을 이처럼 독특하게 해석한 후 신라인들이 고구려의 영토를 전혀 차지하지 못했으면서도 고구려를 병합했다는 허위의식을 가졌다고 주장한다. 하지만 신라가 전쟁 직후 임진강 이북으로 진출하지 않은 것은 나당전쟁의 재발을 막기 위해 당을 자극하지 않으려고 한 때문이었고, 성덕왕聖德王 때인 735년에 당이 신라에게 대동강 이남의 영토를 승인한 점에서 원래 약정은 대동강 이남이었음이 확실하다. 또한 역사계승에서 영토보다 더 중요한 것은 계승의식이라는 점을 간과할 수 없다. 신라인들의 '삼한일통의식'은 단순한 허세가 아니라 고구려의 역사·문화를 계승하고자 하는 의식에서 비롯된 것이다. 고구려의 영토를 모두

3＿＿ 이에 대해 서울대학교 노태돈 교수도 "당과 동맹을 맺어 고구려를 공격하려 함에서 최종 목적지가 평양성이었던 만큼 남에서 진격하는 신라군의 작전 범위는 자연스럽게 평양이남 지역이고 당군의 작전 범위는 그 이북 지역이 될 것이니, 그런 면을 논의하는 가운데 김춘추와 이세민 사이에 평양 이남 지역을 신라 몫으로 한다는 약속이 나왔던 것으로 여겨진다"고 해석한 바 있다.

아우르지 못하고 삼한일통을 천명한 것이 허위의식이라면, 현대 한국인들의 고구려 계승의식도 허위의식이 되는 셈이다.

한편 한국고대사 전공이 아닌 인접학문 전공자와 아마추어 역사가 일부는 『삼국사기』와 『삼국유사』에 '삼국통일'이라는 말이 없고 '삼한일통'이라는 말만 나오는 점을 들어 신라인들 스스로도 삼국을 통일했다는 의식이 없었다고 주장한다. 삼한은 마한·진한·변한이고, 마한은 백제가, 진한은 신라가, 변한은 가야가 계승했으니 고구려는 포함되지 않는다는 식이다. 하지만 이런 주장은 7세기 당시 동아시아 세계에서 '삼한'을 어떤 용례로 썼는지 모르고 한 것이다. 당시 '삼한'은 역사적 실체와 달리 고구려·백제·신라 삼국을 통칭하는 용어였다. 즉 7세기 이후 사료의 '삼한'은 곧 삼국이었던 것이다. 이처럼 7세기 이후 삼국을 삼한으로 지칭한 용례로 인해 후대 역사가들이 '삼한'과 '삼국'의 관계를 비정할 때 많은 혼동이 있었다. 최치원崔致遠, 857~?의 저술과 『삼국유사』에서 마한을 고구려에, 변한을 백제에 잘못 비정한 것과 권근의 『동국사략』에서 변한을 고구려에 잘못 비정한 것이 대표적인데, 한백겸韓百謙, 1552~1615의 『동국지리지』에서 비로소 마한은 백제로, 진한은 신라로, 변한은 가야로 바로잡혔다.

이처럼 비전공자가 단순논리로 삼국통일의 가부를 논하는 것이 또 있다. 신라인들이 삼한일통을 이룩한 왕으로 문무왕이 아니라 태종무열왕을 지목했던 것에 주목하여 삼한일통은 태종무열왕

신라 태종무열왕 기록화(이종상, 1976)
660년 태종무열왕이 백제 사비성을 공격하고자 김유신 등 장군들과 전략을 숙의하고 있다.

재위기인 660년 백제멸망전쟁에 국한해야 하며 문무왕 재위기인 668년 고구려멸망전쟁은 별개라는 주장이다. 그러나 전근대 동아시아문화권에서는 걸출한 영웅이 건국이나 통합의 뜻을 품고 일을 추진하다가 못다 이루고 그 아들이 완성하면 완성 공로를 창업자인 죽은 아버지에게 돌리는 것이 흔한 일이었다. 일례로 주나라를 건국하여 상나라를 멸망시킨 실제 건국자는 무왕武王인데 전근대 중국사에서는 실제 왕도 아니었던 그 아버지 문왕(文王, 무왕이 주나라를 세운 후 문왕으로 추숭했다)을 건국자로 꼽았다.

또한 백제통합론에서는 삼국시대 이후는 발해와 신라가 공존한 남북국시대라고 지칭해야지 '통일신라와 발해'라고 해서는 안 된다고 한다. 통일신라와 발해의 공존은 문법상으로 형용모순이라는 것이다. 언뜻 그럴듯하지만 결정적으로 간과한 것이 있다. 이 견해대로라면(신라가 삼국을 통일한 것이 아니고 백제만 통합했다면) 고구려의 역사·문화는 신라를 통해서는 계승되지 않았다는 말이 된다. 그러면 고구려의 역사·문화는 어디로 갔고 어떤 경로로 우리에게 계승되었는가? 온전히 발해를 통해서만 계승되었는가? 그렇게 생각한다면 고구려의 역사·문화가 모두 발해를 통해 우리에게 계승된 점들을 소상히 밝힐 의무가 있다. 그렇지 못하면 고구려사가 중국사라고 주장하는 동북공정의 논리에 빠지기 때문이다. 백제통합론에서는 신채호를 계승했다고 자처하며 삼국통일을 폄훼하고 더불어 동북공정에 대처하기 위해서라도 삼국통일이라 부르면 안 된다면서도 발해가 고구려 유민인 대조영에 의해 건국되었다는 점 외에는 별다른 언급이 없다(이에 대해서는 백제통합론의 논고를 모아 출간한 저서에 대한 경북대학교 사학과 이영호 교수의 서평에서도 지적한 바 있다).

사실 이 문제는 백제통합론만의 문제가 아니라 백제통합론이 토대로 삼고 있는 신채호의 역사관이 낳은 문제다. 제11장「전근대 동양 사학의 특징과 서술원칙」에서 살펴보았듯이 전근대 역사가 대다수가 삼국시대 이후의 한국사에 대해 (통일)신라를 정통으로 본 데 반해, 신채호는 고구려와 발해를 정통으로 삼았다. 신채호의 시각대로라면 고려는 발해로부터 고구려의 역사·문화를 계승한 셈이

된다. 과연 그럴까?

　남북국시대의 신라는 신라의 문화를 토대로 고구려와 백제의 문화를 융합했고, 발해는 고구려의 문화를 계승했다. 즉 고구려의 역사·문화는 발해뿐 아니라 7세기 이후 300년 (통일)신라를 통해서도 계승되었던바, 발해를 통해 우리에게 계승된 것보다 신라를 통해 계승된 것이 훨씬 많다. 좀 더 직설적으로 말하면, 고구려의 역사·문화는 통일신라를 통해 고려에 계승되어 오늘날까지 이어져온 것이 대다수이고 발해가 고려에 전해준 것은 극히 미미하다. 그런 면에서 '통일신라와 발해'라는 명칭을 사용한 것은 단순히 국어문법을 몰라서가 아니라 그런 사정들을 모두 고려한 데서 나온 현명한 선택이었다. 따라서 '삼국통일'과 '통일신라'라는 명칭은 아무런 문제가 없으며, 삼국통일을 부정하거나 신라의 역사를 폄훼하는 것은 허깨비에 홀려 초가삼간을 다 태우는 짓이나 다름없다.

자랑스러움과 부끄러움 모두를 마주하는 역사공부

이 책은 첫머리에서 제시했듯이 "역사기록의 구성 과정과 해석 방식 등 역사학의 기초를 독자들에게 소개하여, 역사를 합리적으로 해석하고 판단하는 능력을 함양하는 데 일조"하는 데 중심을 두고 쓴 것이다. 그에 따라 역사이론과 논쟁을 절반 정도 다루고, 나머지 절반은 한국사의 주요 논쟁들을 다루었다.

앞서 언급했듯이 우리나라에 서양의 근대역사학이 도입된 이후 오늘날까지의 한국사 연구는 일제 식민사학의 역사왜곡과 우리 연구자들이 그것을 극복하는 과정이었다. 장삿속에 눈이 먼 유사역사가들은 우리 연구자들의 그러한 노력을 무시하고 우리나라의 한국사학계가 일제 식민사학을 그대로 계승했다고 주장하지만, 건강한 정신의 소유자인 독자들은 그런 터무니없는 주장에 현혹되지 않으리라 믿는다.

　다만 적지 않은 수의 대중이 그런 주장들에 현혹된 데에는 학
계의 책임도 없지 않다. 각자의 연구와 후학양성에 매진하느라 역
사를 사랑하는 대중과 청소년에게 가까이 다가가지 못한 잘못이 있
다. 근자에 들어 학계에서도 이 점을 통감하고 공동세미나와 분야
별 강연을 통해 두 권의 책을 출간했다. 『우리시대의 한국고대사』
1·2주류성, 2017다. 유사역사가들의 주요 찬거리는 한국고대사인데,
소개하는 책은 한국고대사학계의 원로와 중견 연구자들이 대중의
눈높이에 맞춰 비교적 쉽게 풀어 썼으므로 일독을 권한다.

　몇 차례 언급한 바대로 중국과 우리나라를 비롯한 동양 사학
의 기본 정신은 직필直筆과 술이부작述而不作이다. 그러나 현실에서
의 역사서술과 역사교육은 정권의 정당성 부여나 자국의 정통성 주
장 목적으로 이루어진 경우가 적지 않았다. 오늘날 한·중·일의 역
사인식 차이와 근자의 국사 교과서 국정화 시도도 그런 경향과 무관
하지 않다. 주권主權이 황제나 국왕에게 있었던 전근대 왕조사회에
서 정권의 정당성 부여나 자국의 정통성 주장 목적의 역사서술과 역
사교육이 이루어진 것은 어쩌면 당연하지만, 주권이 국민 모두에게
있는 오늘날의 민주사회에서도 이런 일들이 벌어지고 있는 것은 조
금 의아한 면이 있다. 왜 그럴까? 그런 역사서술과 역사교육 방향에
수긍하고 동조하는 이가 적지 않기 때문이다. 유사역사가들은 이
런 풍토를 기민하게 포착한다. 우리 역사의 슬프거나 부끄러운 면

도 드러내어 역사의 진실을 밝히고자 하는 연구자들의 연구에 대해 "우리에게 유리한 것만 뽑아 설명해도 모자랄 판에 굳이 불리한 걸 들춰내는 것으로 보아 식민사학의 후예임이 틀림없다"고 몰아세우며 장삿속을 채운다.

그러나 **역사공부를 올바르게 하려면 자랑스러움과 부끄러움 모두를 마주해야 한다.** 우리의 선조가 잘한 것은 자랑스러워하고 잘못한 것은 부끄러워해야 한다. "자랑스러움과 부끄러움 모두를 마주하는 역사공부"라는 말은 필자의 한국사 수업을 수강한 학생의 강의평가에서 배운 말이다. "⋯ 역사를 통해 자랑스러움과 부끄러움 모두를 마주해야 한다는 것을 배웠고, 양심과 염치가 있는 삶을 살아야겠다고 다짐하게 하는 수업이었다"는 익명의 강의평가를 보고 필자는 펑펑 울었다. 그저 직업상 하는 일이라 생각하고 교육과정에서 필수로 다루어야 할 주제들과 학생들이 흥미를 가질 만한 주제를 가지고 기계적으로 강의했을 뿐인데, 이런 강의평가가 나오다니! 한편으로는 감격스럽고 한편으로는 부끄러워 울었다.

이 학생이 말한 '양심과 염치가 있는 삶'도 역사공부의 본질이다. 역사공부는 결국 어떻게 살 것인가를 배우는 것이기 때문이다. 그런데 '양심과 염치가 있는 삶'은 반드시 행복으로 귀결되지는 않는다. 흔히 "역사에서 교훈을 얻는다"고 말하지만 실제로 무슨 교훈을 얻었는지 자신 있게 말할 수 있는 이는 많지 않다. 어린 시절에는 착한 일을 하면 엄마가 사탕을 주고 잘못을 하면 꾸중을 하거나 회

백범 김구의 휘호 「애국애족」(1929)
선각자들은 나라와 민족을 위해 자신의 안위보다는 고난의 길을 기꺼이 선택했다.

초리를 꺼냈는데, 역사 속의 인물들은 그와 반대로 선한 일을 하고 불이익을 당하거나 악한 짓을 하고도 죽을 때까지 부귀영화를 누린 경우가 많았기 때문이다. 두어 차례 언급했던 사마천의 사례는 물론이고 우리 역사에서도 그런 경우가 숱하게 많다.

그러나 역사를 사랑하는 교양인이 역사와 담을 쌓은 이나 유사 역사에 빠진 이와 다른 면모는 '양심과 염치가 있는 삶'이 반드시 행복으로 귀결되지는 않는다는 것을 알면서도 그렇게 살았던 선각자들에게 경의를 표하고 자신도 그렇게 살고자 다짐한다는 것이다. 그러한 삶을 살았던 두 선각자, 사마천과 백범 김구가 남긴 말로 글을 마칠까 한다.

"사람이란 본디 한 번 죽을 뿐이지만 어떤 죽음은 태산보다 무겁기도 하고 어떤 죽음은 터럭만큼이나 가볍기도 하니 그것을 사용하는 방법이 다른 까닭입니다." ___사마천, 「임안에게 답하는 편지(報任安書)」

"세상에 가장 현실적인 방법과 수단이 어찌 한두 가지에 그칠 것인가. 땀을 흘리고 먼지를 무릅쓰며 노동을 하는 것보다 은행 창고를 뚫고 들어가 금품을 도취하여서 안일한 생활을 하는 것도 현실적이라고 할 수 있고, 청빈한 선비의 정실이 되어 곤궁과 싸우기보다 차라리 모리배나 수전노의 애첩이 되어서 호사스러운 생활을 하는 것도 가장 현실적인 길일지 모를 것입니다. 그러나 우리는 현실적이냐 비현실적이냐가 문제가 아니라 그것이 정도正道냐 사도邪道냐가 생명이라는 것을 명기하여야 하는 것입니다. … 외국의 간섭이 없고 분열 없는 자주독립을 쟁취하는 것은 민족의 지상명령이니, 이 지상명령에 순종할 따름입니다. 우리가 망명생활을 30여 년이나 한 것도 가장 비현실적인 길인 줄 알면서도 민족의 지상명령이므로 그 길을 택한 것입니다."

_____ 김구, 「1948년 3월 21일, 신민일보 사장과의 회견기」

교양인을 위한 역사학 교실

1판 1쇄 발행일 2022년 9월 7일
1판 3쇄 발행일 2024년 3월 10일

지은이 윤진석
펴낸이 박희진

펴낸곳 이른비
등록 제2020-000136호
주소 경기도 고양시 덕양구 행신로 143번길 26, 1층
전화 031-979-2996
이메일 ireunbibooks@naver.com
페이스북 facebook.com/ireunbibooks
인스타그램 @ireunbibooks

편집 박희진 김춘길 **본문 디자인** 디자인 〈비읍〉

ⓒ 윤진석, 2022
ISBN 979-11-970148-9-5 03900

이 도서는 한국출판문화산업진흥원의
'2022년 우수출판콘텐츠 제작 지원' 사업 선정작입니다.

이른비 씨 뿌리는 시기에 내리는 비를 말하며, 마른 땅을 적시는 비처럼
인간의 정신과 마음을 풍요롭게 하는 책을 만듭니다.